CRIME E CASTIGO

FIÓDOR DOSTOIÉVSKI

CRIME E CASTIGO

TEXTO ADAPTADO

TRADUÇÃO E ADAPTAÇÃO
YURI MARTINS DE OLIVEIRA

Principis

Esta é uma publicação Principis, selo exclusivo da Ciranda Cultural
© 2020 Ciranda Cultural Editora e Distribuidora Ltda.

Adaptado do original em russo
Преступление и наказание

Texto
Fiódor Dostoiévski

Tradução, adaptação e texto
sobre as personagens
Yuri Martins de Oliveira

Preparação
Lia N. Marques

Revisão
Mariane Genaro
Maitê Ribeiro

Produção editorial e projeto gráfico
Ciranda Cultural

Imagens
solarseven/Shutterstock.com;
Vozzy/Shutterstock.com

Dados Internacionais de Catalogação na Publicação (CIP) de acordo com ISBD

D724c   Dostoiévski, Fiódor, 1821-1881

Crime e Castigo / Fiódor Dostoiévski ; traduzido por Yuri Martins de
Oliveira. - Jandira, SP : Principis, 2020.
240 p. ; 16cm x 23cm. - (Literatura Clássica Mundial)

Tradução de: Преступление и наказание
Inclui índice.
ISBN : 978-65-5552-080-4

1. Literatura russa. 2. Romance. I. Oliveira, Yuri Martins de. II. Título.
III. Série.

CDD 891.73
2020-1441   CDU 821.161.1-3

Elaborado por Vagner Rodolfo da Silva - CRB-8/9410

Índice para catálogo sistemático:
1. Literatura russa : Romance 891.73
2. Literatura russa : Romance 821.161.1-3

1ª edição revisada em 2021
www.cirandacultural.com.br
Todos os direitos reservados.
Nenhuma parte desta publicação pode ser reproduzida, arquivada em sistema de busca
ou transmitida por qualquer meio, seja ele eletrônico, fotocópia, gravação ou outros, sem
prévia autorização do detentor dos direitos, e não pode circular encadernada ou encapada
de maneira distinta daquela em que foi publicada, ou sem que as mesmas condições sejam
impostas aos compradores subsequentes.

SUMÁRIO

Capítulo 1 7

Capítulo 2 14

Capítulo 3 22

Capítulo 4 29

Capítulo 5 35

Capítulo 6 43

Capítulo 7 49

Capítulo 8 57

Capítulo 9 64

Capítulo 10 72

Capítulo 11 76

Capítulo 12 82

Capítulo 13 91

Capítulo 14 95

Capítulo 15 99

Capítulo 16 106

Capítulo 17 113

Capítulo 18 119

Capítulo 19 124

Capítulo 20 128

Capítulo 21 133

Capítulo 22 141

Capítulo 23 146

Capítulo 24 157

Capítulo 25 164

Capítulo 26 168
Capítulo 27 173
Capítulo 28 177
Capítulo 29 185
Capítulo 30 193
Capítulo 31 198
Capítulo 32 201
Capítulo 33 206
Capítulo 34 213
Capítulo 35 216
Capítulo 36 221
Epílogo 226
Sobre as personagens 238

CAPÍTULO 1

No começo de julho, quando o tempo estava extraordinariamente quente, perto do anoitecer, um rapaz saiu de seu apartamento alugado na Rua S. e dirigiu-se lentamente até a Ponte K.

Por sorte, havia conseguido evitar a senhoria enquanto descia as escadas. Eram, ao todo, trinta degraus e ele conseguira descer todos sem encontrar ninguém. Seu quartinho ficava logo abaixo do telhado de um edifício de cinco andares e, para dizer a verdade, parecia mais um armário que um quarto. Ele pagava o aluguel daquele cubículo e tinha direito ao almoço e à faxina. O apartamento da senhoria ficava logo abaixo do seu, de maneira que, toda vez que precisava sair, tinha de passar diante da porta dela. Sempre tinha uma sensação ruim ao passar ali, ficava com vergonha e fazia caretas. Estava devendo para a senhoria e tinha medo de se encontrarem.

Não é que fosse covarde ou esquecido, não, muito pelo contrário; mas já fazia algum tempo que andava constantemente tenso e irritadiço, condiçao que lembrava muito a da hipocondria. Estava tão mergulhado em si mesmo que tinha até medo de encontrar outra pessoa, qualquer uma que fosse. Havia parado de estudar e de cuidar de seus negócios. Era bastante pobre, mas isso já não o incomodava mais. Em suma, não tinha medo da senhoria propriamente, mas só de pensar em ouvir conversas tolas, ninharias, mentiras, cobranças... Era melhor descer a escada silenciosamente, como um gato, para que ninguém o visse. Dessa vez, porém, o medo que sentiu de encontrar a senhoria fora tão forte que até mesmo ele ficara surpreso.

"Tenho a intenção de fazer tanta coisa e olha só do que tenho medo!", pensou, sorrindo estranhamente. "O ser humano tem tudo ao alcance das mãos e não faz nada porque tem medo... Curioso... Do que será que as pessoas têm mais medo? De dar um novo passo, de dizer algo novo...

Enfim.... Tenho falado demais. É por isso que não faço nada, de tanto ficar falando! Fico em casa o dia todo, pensando na vida. E para onde estou indo, afinal? Será que já estou pronto? Será que já consigo fazer *aquilo*?"

Na rua, o calor era insuportável. O tempo estava seco e carregado de poeira. Pairava um odor fétido pelo ar. Tudo isso tinha uma influência negativa sobre os nervos do rapaz. O fedor era especialmente forte naquela parte da cidade por onde andava, e, para completar, havia uma infinidade de bêbados pela rua. Uma expressão de nojo profundo se manifestou no rosto do jovem, embora ele mesmo estivesse tão malvestido quanto qualquer um que estivesse por ali. De fato, perto da Praça Sennaia, por onde o rapaz caminhava, sua figura dificilmente chamaria atenção. Em meio àquela gente, ele não tinha a menor vergonha de andar em semelhantes andrajos. Outra coisa completamente diferente seria se encontrasse algum de seus ex-colegas da faculdade, os quais detestava, vestido daquela maneira... Apesar disso, era um jovem bastante bonito, de cerca de 23 anos. Tinha belos olhos negros e cabelos castanho--claros, era mais alto que a média, magro e bem-feito.

Ele continuava seu caminho, meditando, sem notar nada nem ninguém ao redor. De quando em quando resmungava alguma coisa consigo mesmo; notou, por fim, que estava muito fraco: já fazia dois dias que não comia praticamente nada. Foi despertado de seus pensamentos quando um bêbado, surgido sabe-se lá de onde, cruzou seu caminho e gritou, apontando para ele:

– Ei, você! Bonito chapéu!

O rapaz estancou e, no ato, arrancou o chapéu da cabeça. Era um chapéu alto, redondo, já bastante gasto e empoeirado. Mas não foi por vergonha e sim de susto que arrancara o chapéu da cabeça.

– Eu bem que sabia! – resmungou. – Eu bem que sabia! Isso que é o pior de tudo! Uma coisinha, um detalhezinho de nada pode pôr tudo a perder! Pois é, este chapéu é chamativo demais... Preciso é de um boné. É, um boné combina mais com esta minha roupa... Não chama atenção. Os detalhes, os detalhes são o mais importante! Um detalhe põe tudo a perder!

CRIME E CASTIGO

Não era preciso andar muito mais. Ele sabia até quantos passos eram necessários do portão de sua casa até o local aonde pretendia chegar: eram exatamente setecentos e trinta passos. Ele havia contado, certa vez, quando caminhava por ali, devaneando. Naquele tempo, não levava seus devaneios muito a sério, mas agora, quase um mês depois, via as coisas de outra maneira. De fato, podia-se dizer que aquela caminhada era um *teste*, e a cada passo sua inquietação aumentava mais e mais.

Com o coração batendo forte e sentindo o corpo tremer, ele se aproximou de um grande edifício, próximo a um canal. Era um prédio composto por pequeninos apartamentos habitados por todo tipo de gente: cozinheiras, secretários, alemães, funcionários públicos, mocinhas que se sustentavam sozinhas, etc. Ele ficou bastante satisfeito de não encontrar nenhum dos moradores enquanto entrava. Começou a subir a escada, que era estreita e escura, pensando em como tudo vinha a calhar: na escuridão, não era preciso ter medo de nenhum olhar curioso.

"Se já agora estou tremendo de medo, imagine quando for o momento de fazer aquilo de fato?", pensava involuntariamente.

Chegando ao quarto andar, notou que havia mobília no patamar e que carregadores esvaziavam um dos apartamentos. Ele já sabia disso de antemão: naquele apartamento, morava uma família alemã que estava de mudança.

"Os alemãezinhos estão indo embora, e, no quarto andar, vai ficar só a velhota. Isso é bom", pensou, e tocou a campainha, que soou debilmente, como se fosse de latão e não de cobre.

Todas as campainhas daquele edifício eram assim. Havia se esquecido daquele som e, um tanto surpreso, estremeceu. Logo, alguém se aproximou da porta pelo lado de dentro e abriu uma frestinha, observando o recém-chegado com olhinhos desconfiados que brilhavam na escuridão. Vendo que não havia mais ninguém ali, ela abriu a porta por completo. O rapaz entrou na antessala escura, dividida por um tabique que separava a entrada da cozinha. A velha estava parada diante dele, calada, e o observava com olhos interrogativos. Era uma velhota magra, seca, de uns 60 anos, com uns olhinhos maus, nariz pontudo e cabelos ralos e grisalhos, besuntados de óleo. Usava um lenço amarrado no pescoço comprido e enrugado e, apesar do calor, um xale nas costas. A velha pigarreou, e o rapaz deve ter olhado de forma estranha, pois ela, mais uma vez, pôs-se a observá-lo com redobrada desconfiança.

– Sou eu, Raskólnikov, o estudante – apressou-se em murmurar o jovem. – Estive aqui faz um mês.

– Eu lembro, meu caro, lembro muito bem – respondeu a velha, sem tirar os olhos dele.

– Pois então, a senhora... Eu... Eu vim negociar com a senhora outra vez... – continuou Raskólnikov, surpreso com a desconfiança da velha.

"Bem, ela é sempre assim, na verdade, talvez não tenha notado nada", pensou, com uma sensação desagradável.

A velha ficou em silêncio, como se estivesse refletindo se devia ou não deixar Raskólnikov entrar em seu quarto. Por fim, afastou-se e deu passagem ao visitante:

– Entre, meu caro.

Eles entraram no pequeno quarto da velha, coberto de papel de parede amarelado e iluminado pelo sol.

"Então quando tiver de fazer *aquilo*, o sol vai estar brilhando!...", pensou Raskólnikov, lançando um rápido olhar ao redor, como se quisesse estudar e memorizar a disposição de tudo ali.

No quarto, não havia nada de especial: a mobília era toda velha, havia um sofá com encosto de madeira, uma mesa redonda diante dele, um banheiro com um espelhinho e uma toalha, duas ou três cadeiras e nada mais. Em um canto, ardia uma lâmpada. Tudo estava absolutamente limpo, brilhando. "Trabalho de Lizaveta", pensou Raskólnikov. Não havia um grão de poeira em lugar algum. "Pois é, na casa de velhas viúvas malvadas, é sempre limpo assim", continuou ele consigo mesmo. Havia ainda uma porta, coberta por uma cortina, que dava para outro quartinho. Eram esses os aposentos do apartamento.

– O que deseja? – perguntou a velhota, séria.

CRIME E CASTIGO

– Trouxe um penhor para a senhora! – disse ele, tirando do bolso um velho relógio de prata com uma correntinha de aço.

– Pois o prazo do outro penhor já venceu. Faz três dias já.

– Eu vou lhe pagar os juros, tenha paciência.

– Depende só da minha boa vontade, meu caro, ter paciência ou vender suas coisas.

– Vale muito o reloginho, Aliona Ivánovna?

– O senhor só me traz ninharias, meu caro, isso não vale nada, veja bem. Da última vez, eu lhe dei dois rublos por um anelzinho que poderia ter comprado novo por um rublo e meio.

– Uns quatro rublos, pode ser? Era do meu pai. Logo, vou receber um dinheiro.

– Um rublo e meio, descontados os juros, se quiser.

– Um rublo e meio! – exclamou o rapaz.

– Como queira – a velha lhe devolveu o relógio.

O rapaz sentiu tanta raiva que teve vontade de ir embora, mas refletiu por um minuto. Lembrou-se de que não tinha mais a quem recorrer e que estava ali por outro motivo.

– Que seja! – disse ele rudemente.

A velha vasculhou os bolsos em busca de umas chaves e passou para o outro quarto, atrás das cortinas. O rapaz ficou sozinho no meio do quarto, ouvindo atentamente. A velha destrancava uma cômoda. "Deve ser a gaveta de cima", imaginava ele, "e ela guarda as chaves do lado direito, todas no mesmo molho... Tem uma maior, não pode ser de cômoda... Deve haver um bauzinho ou um porta-joias... Curioso. Mas como tudo isso é vil...".

A velha voltou.

– Aqui está, meu caro: os juros são de dez copeques por rublo ao mês, então tem-se um desconto de quinze copeques por um mês adiantado, correto? Do penhor atrasado, devo lhe cobrar ainda os juros, totalizando trinta e cinco copeques. Então o senhor recebe um rublo e quinze copeques. Aqui estão.

– O quê?! Só um rublo e quinze copeques?

– Precisamente.

O rapaz não quis discutir e pegou o dinheiro. Olhou para a velha e não se apressou em ir embora, pois queria dizer ou fazer alguma coisa, mas ele mesmo não sabia o que nem como...

– Pode ser que eu traga uma coisa para a senhora, Aliona Ivánovna, daqui uns dias... Uma cigarreira de prata, coisa boa... Assim que receber de um colega meu...

– Quando a tiver em mãos, conversamos.

– Adeus... A senhora está sozinha em casa, sua irmã não está? – perguntou, enquanto saía para o corredor.

– Por acaso, o senhor tem alguma coisa para tratar com ela, meu caro?

– Não, não tenho, não... Perguntei por perguntar. É que a senhora... Bem, adeus, Aliona Ivánovna!

Raskólnikov saiu dali decididamente perturbado. Sua perturbação aumentava mais e mais, de maneira que, descendo as escadas, chegou a parar algumas vezes como se freasse repentinamente. Por fim, já na rua, exclamou:

– Oh, Deus! Que abominação! Será possível que... Será que... Não, que tolice, que disparate! Como posso pensar em algo assim? Quanto horror há em meu coração! É horrível, horrível... Um mês inteiro pensando nisso...

No entanto, ele não podia expressar em palavras toda sua inquietação. A sensação de asco que começara logo ao chegar à casa da velha estava agora tão forte que ele já não sabia o que fazer. Estava fora de si. Caminhava pela calçada como um bêbado, sem notar os transeuntes e, quando se deu conta, já estava em outra rua. Olhando ao redor, notou que estava diante de uma taberna, para a qual se descia por uma escadinha. Dois bêbados entravam ali, tropeçando nos degraus. Sem pensar duas vezes, Raskólnikov desceu. Nunca havia entrado em uma taberna, mas naquele momento sua cabeça rodava, e uma sede imensa se apossara dele. Queria beber uma cerveja gelada, ainda mais porque associava sua tonteira e fraqueza à fome. Sentou-se em um canto sujo e escuro,

CRIME E CASTIGO

pediu cerveja e bebeu avidamente. No mesmo instante, tudo se assentou, e os pensamentos como que se aquietaram.

– Tudo isso é bobagem – murmurou, esperançoso. – Não tem por que se aborrecer! Um cansaço físico, é só! Um copinho de cerveja, um pedacinho de pão e pronto, tudo se ajeita, acabam-se os problemas!

Realmente, parecia mais alegre, como se tivesse tirado um peso tremendo das costas. Olhou com certa amabilidade ao redor e no mesmo instante percebeu, consigo mesmo, que todo aquele otimismo tinha algo de doentio.

Havia pouca gente na taberna àquela hora. Pouco antes, um bando de uns cinco homens com uma moça e um acordeão havia acabado de sair, deixando o local bastante silencioso. Restavam os dois bêbados que haviam entrado na frente de Raskólnikov, um pequeno-burguês embriagado acompanhado de um camarada de barba grisalha, grande e gordo, que, de tão bêbado, pendia sobre o banco e, às vezes, tentando bater palmas, experimentava declamar uns versos ou cantar alguma coisa:

O ano inteiro afaguei minha esposa
O ano inte-ei-ro afaguei minha espo-o-sa...
Ou, de repente, despertando:
Pela rua eu ia andando,
Acabei a outra encontrando...

Mas ninguém compartilhava da sua felicidade. Os companheiros calavam e olhavam para ele com desconfiança. Havia ali ainda outra pessoa, com jeito de funcionário público aposentado. Estava sentado sozinho, com um copo e uma garrafa, olhando de tempos em tempos ao redor. Ele também, ao que parecia, estava um tanto inquieto.

CAPÍTULO 2

Raskólnikov, como dito, não estava habituado a multidões e evitava a todo custo qualquer tipo de contato com quem quer que fosse. Agora, porém, sentia vontade de estar em meio a outras pessoas. Alguma coisa aconteceu dentro dele e, de repente, sentiu uma sede de ver gente. Estava tão cansado daquele mês de solidão e inquietude que queria respirar outros ares, ainda que fossem os ares fétidos daquela horrível taberna.

O dono da taberna estava em outro cômodo, mas com frequência entrava ali e dava uma olhada nos clientes. Atrás do balcão, estava um menino de uns 14 anos e ainda um outro menino menor, que vinha servir quando pediam alguma coisa. No balcão, havia pepinos em conserva, pães e pedaços de peixe fatiado, tudo cheirando mal. Estava tão abafado, e o ar tão pesado que, só de ficar ali sentada, uma pessoa já ficaria bêbada em cinco minutos.

Existe todo tipo de encontro nessa vida, alguns deles com pessoas que nos despertam atenção assim que colocamos os olhos nelas, sem que seja preciso dizer qualquer coisa. Foi exatamente isso que aconteceu a Raskólnikov em relação ao suposto funcionário aposentado. Mais tarde, o rapaz se lembrou daquela sensação e a interpretou como sendo uma premonição.

Ele observava o funcionário, e este, por sua vez, olhava fixamente de volta. Estava claro que queria conversar. Para os outros, o antigo funcionário olhava com tédio, como se fossem pessoas com as quais ele jamais teria sobre o que conversar. Era um homem já passado dos 50 anos, de estatura mediana e corpulento, calvo, com um rosto um tanto amarelado, até mesmo esverdeado, pode-se dizer, e pálpebras pesadas, sob as quais reluziam olhinhos pequeninos e avermelhados, mas muito vívidos. Havia algo muito estranho: em seu olhar brilhava certo entusiasmo, até mesmo vivacidade e sabedoria, mas, ao mesmo tempo,

CRIME E CASTIGO

também certa loucura. Estava estranhamente vestido: fraque completo, porém com todos os botões faltando. Todos menos um, que permanecia ali pendurado, sabe-se lá como. O colete e o peitilho estavam manchados e amarelecidos. Usava barba à moda dos funcionários, mas já estava bastante cheia. Parecia preocupado, desalinhava os cabelos e colocava a cabeça entre as mãos, apoiando os cotovelos à mesa. Afinal, ele olhou para Raskólnikov e disse em voz alta:

– Será que me atrevo, estimado senhor, a dirigir-lhe a palavra? Pode até ser que o senhor não tenha um bom aspecto, mas minha experiência me diz que é uma pessoa educada e aceitaria uma bebida. Eu sempre prezei muito a educação, sabe? Sou Marmeládov, conselheiro titular. E o senhor onde trabalha, atrevo-me a perguntar?

– Sou estudante... – respondeu o rapaz, ainda um tanto surpreso com aquele tom tão sincero e tão direto. A despeito de seu recente desejo de se aproximar das pessoas, tão logo ouviu a primeira palavra de Marmeládov, Raskólnikov sentiu a costumeira ojeriza em relação às pessoas e a qualquer tipo de contato.

– Um estudante, tinha de ser! – gritou o conselheiro – Eu bem que sabia! Experiência, meu estimado senhor, experiência! – dizendo isso, batia com um dedo na testa. – Tinha de ser estudante ou alguém ligado à ciência! Permita-me... – apanhou o copo e a garrafa, levantou-se e aproximou-se do rapaz.

Marmeládov estava realmente embriagado, mas falava com clareza, só de vez em quando embaralhando um pouco a conversa. Achegou-se com tanta avidez a Raskólnikov, que parecia até que não falava com ninguém há meses.

– Estimado senhor – continuou –, a pobreza não é defeito. Mas a penúria, estimado senhor, a penúria, sim, é um defeito. Na pobreza, ainda se pode conservar algum sentimento nobre, mas na penúria não, nada – fez uma pausa e então prosseguiu. – Estimado senhor, no mês passado, o senhor Lebeziátnikov espancou minha esposa, e ela não é como eu! O senhor entende? Permita-me perguntar, só por curiosidade: o senhor já passou uma noite no Rio Nievá, nas barcas de feno?

– Não, nunca me aconteceu – respondeu Raskólnikov – Como é isso?

– Ah, meu senhor, eu venho de lá, já faz cinco noites...

Ele terminou a bebida de seu copo e ficou pensativo. De fato, havia feno em suas roupas e estava nítido que fazia dias que não se lavava, tudo atestava a veracidade do que dizia. O falatório de Marmeládov parecia ter despertado a atenção dos que ali estavam, incluindo os meninos no balcão e o dono da taberna.

– Bem... – continuou o orador. – Eu sou um porco, e ela, uma dama! Minha esposa, Katerina Ivánovna, eu quero dizer... Uma dama instruída, bem educada, filha de um oficial. Eu sou um canalha, sim, mas ela tem bom coração, tem sentimentos elevados, tem educação. Ah, se ao menos ela tivesse pena de mim! Estimado senhor, estimado senhor, Katerina Ivánovna é uma dama magnânima, mas injusta... Eu bem sei que quando ela arranca meus cabelos o faz como se, no fundo, sentisse pena, mas... Não, não! Basta! É assim que deve ser! Não há o que dizer! Mas eu... Bem, eu sou assim mesmo.

O dono da taberna soltou um muxoxo de desdém, mas Marmeládov fingiu não dar atenção e bateu com os punhos na mesa.

– Eu sou assim mesmo! Bebi tudo! Tudo eu bebi, até o xale dela eu bebi. E os sapatos e o casaco, tudo. Nós moramos em um quartinho frio, e, nesse inverno que passou, ela começou a tossir, tossir até sangue. Temos três crianças pequenas. Katerina Ivánovna trabalha noite e dia, costura, lava, passa, faz tudo para manter a higiene. Mas o peito está fraco. É tísica – Marmeládov fez uma longa pausa e então continuou –, mas saiba que minha esposa foi educada em um internato, tinha um destino brilhante pela frente, brilhante. Ganhou até uma medalha... Essa medalha já vendemos faz tempo... Enfim... Já era viúva quando a conheci, tinha três filhos, três! Casou-se por amor e fugiu de casa, mas o marido caiu na jogatina, foi preso e logo morreu. Toda a família a tinha renegado. Aí eu apareci... Também era viúvo, tinha uma filha de 14 anos. Pedi a mão dela, queria ajudar. Em que situação estava! Que situação! Estava na pior, como se diz, meu estimado senhor. E eu... Eu queria ajudá-la. Trabalhei, fiquei um ano inteiro sem beber, mas nem assim conseguia agradá-la. Então perdi o emprego, mudança de gabinetes, o senhor sabe... Tive de apelar para a garrafa. Faz um ano e meio que vivemos aqui na capital, em um quartinho alugado de uma alemã, a senhora Amália Lippevechzel. Nesse meio-tempo, minha filha cresceu. Minha filha Sônia estudou geografia e história. Eu mesmo ensinei... Ela leu alguma coisa dos românticos, leu também um livro que o vizinho emprestou, uma tal de fisiologia. Mas agora eu lhe pergunto, estimado senhor: uma mocinha pobre pode, na sua opinião, ganhar dinheiro com trabalho honesto? Se for honesta e não tiver talento, não ganha nem dez copeques. As estatísticas provam. Bem, em casa, as crianças passavam fome. Um dia, Katerina Ivánovna virou para Sônia e disse: "Você, queridinha, fica aqui sem fazer nada, só come e bebe, não faz nada enquanto as crianças passam fome". Bebendo e comendo o quê, eu não sei, porque não tinha nada para comer. Enfim... Ela continuou falando, insinuando... Eu estava deitado nessa hora, um pouquinho bêbado, mas ouvi minha Sônia respondendo: "Katerina Ivánovna, será possível que esteja me sugerindo isso?". Ela é tão pequenina, minha filha, tão lourinha... E Katerina Ivánovna: "Ora, e o que tem demais? Vai ficar se guardando para quê?". Mas não julgue Katerina Ivánovna, não, não julgue. Ela não disse por mal. Estava cansada, doente, preocupada com as crianças. Ela é muito boa. Às seis horas, Sônia colocou o xale e saiu. Voltou antes das oito. Foi direto até Katerina Ivánovna e entregou-lhe trinta rublos. Nenhuma das duas disse nada. Sônia foi deitar e logo começou a chorar. Katerina Ivánovna ajoelhou-se ao pé da cama e ficou lá a noite toda. E eu fiquei deitado.

Marmeládov calou, como se já não tivesse mais voz. Depois, encheu o copo outra vez e o bebeu até o fim.

– E desde esse dia, estimado senhor, desde esse dia a minha filha, a minha Sófia Semiónovna, trabalha com isso. Por causa do serviço, ela não pôde mais morar conosco, a senhoria não permitiu. Ela arranjou um cantinho. Mora perto do canal, um quartinho alugado dos Kapernaúmov. É uma família de gagos. Todos, o pai, a mãe e os filhos. É... Mas o senhor não pense que eu não fiz nada. Eu fiz alguma coisa. Fiz, sim. Logo cedo, vesti o casaco e fui pedir ajuda a um conhecido dos gabinetes. Ele ficou surpreso, mas me aceitou e comecei a trabalhar. Isso faz umas cinco semanas, estimado senhor. Como ficaram felizes Katerina Ivánovna e Sônietchka! E as crianças também! Arranjaram café para eu beber antes do serviço! Café! E roupa também, sapatos, tudo. Sônia dá praticamente todo o dinheiro para Katerina Ivánovna. Vem sempre à noite para que ninguém a veja e reclame com a senhoria. Minha esposa ficou tão contente! "Você é formidável", disse para mim. Ficou tão contente, tão orgulhosa.

Marmeládov fez uma pausa, parecia que ia tentar sorrir, mas não teve forças. Seu aspecto descuidado, as cinco noites dormidas na palha e a maneira estranha de amar a esposa e a família deixaram Raskólnikov desorientado. Ele ouvia com atenção, mas também com certa morbidez, aquele relato.

– Meu senhor, meu estimado senhor! – exclamou. – Pode até ser que alguém ache graça nessa história! Eu tinha planos, tinha sonhos: alimentar e vestir as crianças, comprar roupas para Katerina Ivánovna, ajudar Sônia. E mais, muito mais. Mas um dia, depois de tanto sonhar, eu, no meio da noite, como um ladrão, peguei a chavinha do bauzinho de Katerina Ivánovna, abri, peguei todo o dinheiro. Ouviu? Peguei todo o dinheiro e sumi. Faz cinco dias que não apareço em casa, que não vou trabalhar. Devem estar me procurando... E fim!

Marmeládov mais uma vez se calou, fechou os olhos e baixou a cabeça sobre a mesa. Mas, de repente, ergueu-se com uma expressão estranha. Olhou para Raskólnikov e disse, rindo:

– E hoje mesmo estive com Sônia, de ressaca, fui pedir dinheiro!

– E não me diga que ela deu? – gritou alguém, fazendo todos no bar caírem na gargalhada.

– Pois essa mesma garrafa foi comprada com o dinheiro dela! – pronunciou Marmeládov, dirigindo-se exclusivamente a Raskólnikov. – Trinta copeques ela me deu, com as próprias mãos, não disse nada, só me entregou, olhando para mim. Não há ninguém como ela nesse mundo! Ninguém! Ela mesma precisa se manter, precisa dos seus cremes, das saias, porque sem isso não dá, não dá... Mas deu trinta copeques ao pai! Trinta copeques para beber! E eu bebi! Já estou até bêbado! E então, meu senhor? O senhor tem pena de mim? Tem ou não tem?

Ele quis se servir de mais uma dose, mas a garrafa estava vazia.

– Bem, não tem do que reclamar! – gritou o dono da taberna, arrancando risos de todos que estavam ali.

Marmeládov, porém, não lhes deu atenção. Depois de ficar um instante calado, disse:

– Vamos, meu senhor! Leve-me daqui... Já é hora... Vamos encontrar Katerina Ivánovna.

Fazia tempo que Raskólnikov queria ir embora. As pernas de Marmeládov não mostravam a mesma firmeza que seu discurso acalorado, e ele se apoiava pesadamente no rapaz. Andaram pouco mais de trezentos passos. O medo e a perturbação ficavam cada vez mais aparentes no bêbado à medida que se aproximava de casa.

– Não tenho medo de Katerina Ivánovna – murmurava preocupado – E daí se ela me agarrar pelos cabelos? O que são uns cabelinhos a menos? Não tenho medo disso... Tenho medo dos olhos dela... E das manchas vermelhas em seu rosto... E sua respiração... Tenho medo do choro das crianças, porque Sônia não deve ter dado comida a elas... Eis aqui, chegamos.

Eles entraram em um edifício e subiram até o quarto andar. Quanto mais subiam, mais escura se tornava a escada. Já eram quase onze horas e, embora em Petersburgo não houvesse noite de fato nessa época, ali na escada, estava tudo muito escuro.

Chegaram a uma portinha aberta. Raskólnikov e Marmeládov entraram em um quarto minúsculo, que não tinha mais de dez passos de largura. Estava tudo fora de ordem: havia uma cama, um sofá extremamente gasto, duas cadeiras, uma mesa de centro e trapos de roupa de criança por toda parte. Uma porta entreaberta dava para o apartamento da senhoria, que estava iluminado e barulhento.

Raskólnikov reconheceu Katerina Ivánovna na mesma hora. Era uma mulher terrivelmente magra, frágil, porém bastante alta e aprumada, com belíssimos cabelos castanho-claros e um rosto com manchas vermelhas. Ela andava de lá para cá no quartinho, torcendo as mãos sobre o peito. Seus olhos brilhavam como se tivesse febre, mas mantinha o olhar vivo e firme. Devia ter cerca de 30 anos e, definitivamente, não era par para Marmeládov... Ela não os ouvira entrar, parecia nem ter notado a presença deles. O quarto estava muito abafado. Uma menininha de uns 6 anos dormia sentada no chão, apoiando a cabeça no sofá. Um menino, um ano mais velho, chorava em um canto, tinha acabado de apanhar. A menina mais velha, de uns 10 anos, tentava acalmar o irmão, murmurando alguma coisa em seu ouvido. Sem entrar no quarto, Marmeládov se pôs de joelhos e empurrou Raskólnikov para a frente. Katerina Ivánovna olhou por uns instantes, surpresa e desconfiada, para aquele desconhecido. Imaginando, porém, que ele ia ao cômodo da senhoria, foi até a porta do corredor para fechá-la e soltou um grito ao ver o marido ali ajoelhado.

– Ahá! – gritou em frenesi. – Voltou! Onde está o dinheiro? Hein? Onde está? Fale! Vamos!

E lançou-se sobre ele para revistá-lo. Marmeládov não reagiu, deu de ombros e colocou os bolsos do avesso, mostrando que não havia dinheiro algum.

– Onde está o dinheiro? – gritava. – Ah, Senhor, será possível que ele bebeu tudo? – De repente, ela o agarrou pelos cabelos que restavam e começou a arrastá-lo pelo quarto. Marmeládov facilitava seu próprio castigo, ficando de joelhos diante dela.

– Para mim é um deleite! Não é um castigo, é um dele-ei-te, esti-ma-a-do senho-or – dizia Marmeládov enquanto era arrastado pelo chão, chegando até a bater com a testa no assoalho uma vez. As crianças observavam a cena em choque, o mais novo chorando, agarrado a uma das irmãs.

– Bebeu! Bebeu tudo! – gritava a pobre mulher, em desespero – nem roupa eles têm! Famintos, famintos! – e apontava as crianças – Ah, vida três vezes maldita! E o senhor? O senhor não tem vergonha? – voltou-se para Raskólnikov, de repente – Vindo do botequim! Também bebeu com ele? Vá embora! Suma!

CRIME E CASTIGO

O rapaz se apressou em ir embora, sem dizer nada. Nesse meio--tempo abrira-se a porta do quarto contíguo e outros inquilinos entraram no quarto. Vendo aquela cena de Marmeládov sendo arrastado, caíram na gargalhada. E riam mais ainda quando ele gritava que aquilo era um "dele-ei-te". Foram chegando mais e mais inquilinos para assistir ao espetáculo. Por fim, apareceu a própria Amália Lippevechzel, a senhoria, para colocar ordem na situação e ameaçar mais uma vez a pobre Katerina Ivánovna dizendo que ela teria de deixar o apartamento no dia seguinte. Antes de sair, Raskólnikov colocou a mão no bolso, contou suas moedas e deixou-as no beiral da janela.

"Mas que tolice fui fazer!", pensou, logo em seguida. "Eles têm a Sônia para ajudar, e eu estou precisando de dinheiro!"

No entanto, decidiu que já não havia como voltar atrás e seguiu seu caminho.

"Afinal, Sônia também precisa de cremes e pomadas, porque para ganhar um dinheirinho é preciso estar bem asseada... Se bem que Sônietchka não deve sair de casa hoje, a polícia está fazendo ronda... Então, sem meu dinheiro, eles hoje estariam em palpos de aranha... Ah, Sônia! Que mina encontraram! E nem sentem vergonha de explorá-la. Acabaram se acostumando... Choraram, mas se acostumaram. O canalha do homem se acostuma com qualquer coisa!"

Ficou pensativo e disse, a meia-voz:

– Mas se eu estiver mentindo, se realmente o homem não for, na verdade, um canalha completo, se houver humanidade em todos? Se for assim, não haverá limites para os homens!

CAPÍTULO 3

Na manhã seguinte, acordou tarde, mal-humorado, depois de uma noite agitada de sonhos. Olhou com ódio para o quarto, que tinha o aspecto mais miserável possível. Era um cômodo empoeirado, estreito e de teto baixo. A mobília se resumia a uma mesinha sobre a qual havia livros, cadernos e jornais cobertos de pó, três velhas cadeiras, uma mesinha de centro e um grande sofá escaqueirado, que servia de cama para Raskólnikov. Ele sempre dormia ali da maneira que estava, sem nem ao menos tirar o casaco. Embaixo de uma almofada, havia colocado toda a roupa de cama que tinha, para deixá-la mais alta.

O quarto era apertado e abafado, mas, nos últimos tempos, aquele lugar se tornara um espaço até agradável para Raskólnikov. Ele evitava tão obstinadamente qualquer tipo de contato com outras pessoas que vivia quase sempre enfiado ali, como uma tartaruga dentro do casco. Até mesmo a empregada da senhoria, Nastássia, que lhe trazia o almoço e fazia a faxina, era uma presença insuportável. Nos últimos tempos, ela vinha deixando de lhe trazer comida e fazia a limpeza do quarto uma vez na semana, quando muito. O dia da faxina era justamente aquele, e foi Nastássia quem despertou o rapaz:

– Acorda! – gritou. – Já são dez horas! Trouxe chá pro senhor, vai querer ou não vai?

Ela colocou sobre a mesinha o aparelho de chá, serviu a bebida, visivelmente requentada, e jogou dois cubinhos amarelados de açúcar.

– Tome, Nastássia – disse ele, remexendo os bolsos, atrás dos copeques que lhe restavam –, compre um pãozinho para mim. E também um salame do mais barato que tiver.

– O pãozinho eu trago em um minuto, mas o senhor não prefere uma sopa em vez do salame? Tá boa a sopa, é de repolho.

Raskólnikov assentiu. Nastássia saiu e logo voltou trazendo a sopa. Em seguida, acomodou-se no sofá a seu lado e desatou a falar:

CRIME E CASTIGO

– Dona Praskóvia tá querendo dar queixa do senhor...

– Dar queixa? – repetiu o rapaz, fazendo uma careta. – Queixa à polícia? Por quê?

– O senhor nem paga nem desocupa o quarto...

– Mais essa agora... – murmurou entre os dentes. – Não dá para resolver isso agora... É uma tola! – disse em voz alta. – Hoje mesmo irei falar com ela.

– Ela é tão tonta quanto eu, esperto é o senhor que fica aqui o dia inteiro sem fazer nada. Não tá mais dando aula pras crianças?

– Estou trabalhando em outra coisa...

– Que coisa?

– Pensamentos...

Nastássia começou a gargalhar, remexendo todo o corpo.

– E já deu bastante dinheiro isso de pensar? – perguntou, afinal.

Raskólnikov olhou estranhamente para Nastássia, que ficou calada por uns minutos. Por fim, depois de bebericar o chá, disse:

– Já ia me esquecendo! Ontem chegou uma carta pro senhor.

– Carta? De quem?

– Isso eu não sei.

Ela tirou uma carta do avental e entregou a ele. A carta era da mãe, que vivia no interior, na província de R*. Ao recebê-la, Raskólnikov até empalideceu. Fazia tempo que não recebia cartas, e aquela lhe causou uma estranha sensação.

– Tive que dar três copeques pro carteiro... – disse Nastássia, como quem não quer nada.

– Tome aqui seus três copeques – respondeu Raskólnikov, afobado, dando-lhe o dinheiro que restava. – Agora vá embora, Nastássia, vá, pelo amor de Deus!

Assim que ela saiu, Raskólnikov beijou a carta. O papel tremia em suas mãos, ficou olhando longamente para o endereço escrito ali no envelope, com a letrinha miúda de sua mãe. Demorou para abrir a carta, como se estivesse com medo de alguma coisa. Afinal, rasgou o envelope e pôs-se a ler:

FIÓDOR DOSTOIÉVSKI

Querido Ródia,

Já faz dois meses que não nos falamos. Eu mesma tive muita saudade, mas não pude escrever antes, e você logo vai entender o porquê. Você sabe que eu o amo muito, não sabe? Você é o nosso tudo, meu e de sua irmã Dúnia! Imagine como ficamos quando soubemos que você teve de largar a universidade por não ter dinheiro para se manter. Mas como eu poderia ajudar? Recebo tão pouco de pensão, você sabe. O dinheiro que mandei da outra vez foi de um empréstimo que fiz com um vendedor aqui da cidade. Ele é muito bom, era amigo do seu pai. Mas eu tinha que pagar esse empréstimo, por isso não tive como ajudar nos últimos tempos. Mas agora, graças a Deus, as coisas se ajeitaram e tudo vai mudar. Vou contar tudo do começo.

Como você bem deve lembrar, da última vez que nos falamos, Dúnia estava vivendo na casa dos Svidrigáilov, trabalhando de governanta. Naquela época, eu não podia contar a verdade a você, porque sabia que ficaria zangado. Não tem importância se zangar, é o seu jeito. Eu mesma não sabia da história toda até Dúnia voltar para casa. Acontece que, quando ela começou a trabalhar lá, no ano passado, recebeu cem rublos adiantados, de modo que não podia sair até que tivesse pagado essa dívida. Foi desse adiantamento que tiramos os sessenta rublos que mandamos para você no ano passado, Ródia. Estou contando isso a você, porque agora já está tudo resolvido – e até para melhor, pode-se dizer, com a graça do Senhor. Você vai ver como Dúnia o adora e que coração de ouro ela tem.

O que aconteceu foi que o senhor Svidrigáilov começou a rodear nossa Dúnietchka... Não vou entrar em detalhes, mas você pode imaginar como foi difícil para ela. Mesmo com ajuda dos criados da casa, era muito difícil evitar o patrão, especialmente quando ele bebia. Depois de tentar de todas as formas, ele acabou se declarando abertamente para Dúnia, prometendo mundos e fundos, dizendo que ia fugir com ela. Imagine a situação de sua irmã!

CRIME E CASTIGO

Ela não podia deixar o trabalho, tinha a dívida para pagar. Afora isso, seria um grande escândalo se descobrissem o que estava acontecendo. Marfa Petróvna, a esposa de Svidrigáilov, poderia até pedir a separação. E, claro, para a própria Dúnia, seria um grande problema. Assim, ela não podia sair da casa. Você conhece sua irmã, sabe como é esperta e que força de caráter tem. Dúnia pensou em mil maneiras de evitar o senhor Svidrigáilov e ficou firme, não perdeu a cabeça. Isso tudo eu fiquei sabendo depois, porque ela não me falava dessas coisas nas cartas que mandava. Mas então aconteceu um incidente: Marfa Petróvna acabou ouvindo, por acaso, o marido se declarando para Dúnia. Só que ela entendeu tudo errado, achou que era a nossa Dúnia quem tinha virado a cabeça de Svidrigáilov. Foi uma confusão! Sua irmã chegou a apanhar e acabou sendo expulsa da casa. Chegou aqui arrasada, na carroça de um camponês. Parece até que pegaram uma chuva forte pelo caminho, imagine. Como é que eu ia lhe contar uma coisa dessas? Você ficaria agastado, e à toa, pois não poderia fazer nada. Foi por isso que não contei.

Bem, começaram a correr boatos sobre o que tinha acontecido, como você pode imaginar. Não podíamos mais nem ir à igreja sem que as pessoas olhassem torto para nós e ficassem cochichando. Todos nossos conhecidos se afastaram, pararam de nos cumprimentar. Até nossa senhoria começou a insistir para que deixássemos o apartamento, embora não devêssemos nada a ela. A causa de tudo isso foi Marfa Petróvna, que saiu maldizendo Dúnia pela cidade inteirinha. Ela sempre foi muito faladeira, sempre adorou falar da família e se queixar do marido, então imagine o que ela não disse por aí depois dessa história toda... Eu cheguei a ficar doente, Dúnia cuidou de mim, ela é mais resistente, você sabe. Ela me tranquilizou, me fez sorrir. É um anjo!

Um dia, graças a Nosso Senhor Misericordioso, nossos sofrimentos tiveram fim: o senhor Svidrigáilov se arrependeu e contou toda a verdade para Marfa Petróvna: contou que Dúnia era inocente de tudo e, para provar, mostrou uma carta que sua irmã havia escrito para ele, pedindo que a deixasse em paz. Além disso, todos os criados da casa estavam a favor de Dúnia, pois sabiam, melhor do que ninguém, o que havia ocorrido de fato. Marfa Petróvna ficou profundamente arrependida. No dia seguinte, um domingo, logo depois da missa, ela veio até nossa casa, pediu perdão, chorou muito. No outro dia, foi de casa em casa resolver o mal-entendido, elogiando Dúnia por seu comportamento irrepreensível e sua firmeza de caráter. Chegou até a mostrar para todos a carta que ela havia escrito rejeitando Svidrigáilov, lia em voz alta, chorava, fazia comentários. Em pouco tempo, tudo estava como antes e a cidade passou a admirar Dúnia. Na minha opinião, muito do que Marfa Petróvna fez foi um tanto desnecessário, exagerado, mas ela é assim mesmo. O mais importante é que tudo se resolveu, e a honra de Dúnietchka foi reestabelecida. No fim, aconteceu ainda uma coisa muito boa por conta dessa história toda: sua irmã arranjou um noivo.

O noivo é o senhor Piotr Petróvitch Lújin, um parente distante de Marfa Petróvna, que, aliás, foi quem arquitetou tudo isso. Ele é conselheiro da corte, um homem ocupado, importante. Vive em São Petersburgo. Veio até nossa casa, tomou café, conversou com Dúnia e já no outro dia pediu a mão dela. Nós ficamos surpresas com esse pedido, é claro. Tudo aconteceu tão rápido e de forma tão inesperada. Mas pensamos bem, juntas, e decidimos que sim, Dúnia devia aceitar. Ele é um homem responsável, trabalhador, até já tem um capital acumulado. É bem verdade que tem 45 anos, é bem mais velho que sua irmã, mas é muito agradável. E já adianto, Ródia, que ele está a caminho de São Petersburgo e em breve irá se encontrar com você. Peço que seja gentil, não o julgue precipitadamente, trate dele com cuidado e respeito, afinal é um homem importante, sério. Em sua primeira visita, ele deixou claro que é um homem respeitável, positivo, que acredita "nas novas gerações", como ele mesmo disse, e é inimigo de todos os preconceitos.

CRIME E CASTIGO

Falou muitas coisas mais, porque é um homem que gosta de falar e ser ouvido. Eu, é claro, pouco entendi, mas depois Dúnia me explicou, disse que ele é um homem inteligente e bom, ao que tudo indica. Você bem conhece sua irmã, Ródia. É uma moça ajuizada, paciente e generosa, apesar do coração impetuoso.

É evidente que não há um grande amor envolvido, mas Dúnia saberá ser agradecida e fazer o marido feliz, e ele cuidará dela e de sua felicidade. Em uma de suas visitas, depois de ter recebido o "sim" como resposta, ele nos contou que, há muito tempo, procurava uma noiva como Dúnia, honrada, mas de poucos recursos. Ele buscava uma moça que já tivesse experimentado a pobreza para que assim ela lhe fosse sempre grata e o considerasse para sempre seu benfeitor. Não foi bem assim que ele disse, usou outras palavras, mas não me lembro bem das expressões exatas. De toda forma, me pareceu um tanto rude e eu disse isso para Dúnia, mas ela me respondeu que "palavras não são ações", no que está absolutamente certa. Mesmo assim, ela passou aquela noite em claro, andando de um lado para o outro do quarto, pensando.

Como disse, Piotr Petróvitch está a caminho de Petersburgo. Ele vai abrir um escritório de advocacia na capital, por isso teve de ir sem demora. Assim sendo, meu querido Ródia, o casamento há de ser útil também para você: eu e Dúnia achamos que você pode começar sua carreira nesse escritório. Imagine só! Pense nas vantagens! Já dissemos uma palavrinha ou duas a esse respeito com Piotr Petróvitch. Ele foi cauteloso, disse que não pode ficar sem um secretário, é verdade, e que seria melhor pagar um parente do que um desconhecido, mas, de toda forma, é preciso esperar, ver como tudo se arranja e, claro, é preciso que você termine seu curso na universidade, Ródia. Seria ótimo, não seria? Dúnia só pensa nisso. Mais para a frente, você pode se tornar até mesmo sócio de Piotr Petróvitch. E eu compartilho das mesmas esperanças. Sua irmã tem certeza de que tudo vai se arranjar, ela vai intervir a seu favor. Mas nós ainda não falamos com ele dessas esperanças. É cedo.

Eu já disse que nós duas também iremos para Petersburgo muito em breve? Piotr Petróvitch vai alugar um quarto para nós. Claro, depois do casamento, Dúnia vai morar definitivamente na capital com o marido. Ele deu a entender que seria melhor que eu não morasse com eles, pelo menos não nos primeiros tempos, e eu entendo perfeitamente. Assim deve ser. Quem sabe não arranjo um lugar para morar perto de vocês dois? Imagine, morar perto de meus dois filhos!

Bem, então é isso! Logo estaremos nós duas, Dúnia e eu, a caminho de Petersburgo. Mesmo assim, enviarei algum dinheiro, o máximo que conseguir, para ajudar você. Dúnia não lhe escreve, mas manda dizer que vocês têm muito o que conversar. Não vemos a hora de ver e abraçar você!

E agora basta, já escrevi demais. Ame sua irmã, Ródia, ela é um anjo que o ama muito! Você é o nosso tudo, nossa esperança, se conseguirmos fazer você feliz, então também estaremos felizes. Agradeça a Deus por tudo, meu filho.

Adeus, ou melhor, até logo!

Muitos beijos!

De sua mãe,

Pulkhéria Raskólnikova

Raskólnikov chorou ao ler a carta. Terminada a leitura, estava pálido e havia um sorriso um tanto maldoso em seus lábios. Ele deitou a cabeça na almofada e ficou ali, pensando, por muito tempo. Por fim, o quarto começou a ficar sufocante, então, pegou o chapéu e saiu. Dessa vez, não se preocupou com quem iria encontrar ou deixar de encontrar ao descer as escadas. Saiu pela rua resmungando consigo mesmo, às vezes até falando em voz alta. Quem cruzasse seu caminho o tomaria por um bêbado.

CAPÍTULO 4

A carta da mãe o atormentara. Em sua cabeça, já tomara uma decisão irredutível.

"O casamento com esse tal de Lújin só vai acontecer por cima do meu cadáver!", pensava, como que resmungando consigo mesmo. "Não, senhora, a mim você não engana, Dúnia. Eu sei muito bem porque você vai se casar com um homem desses. Quer salvar a mãe da pobreza... E o irmão também."

Mergulhado nesses pensamentos, Raskólnikov seguia caminhando aparentemente sem rumo pelas ruas de São Petersburgo. De repente, como que voltando a si, estancou.

"Mas como impedir o casamento? O que posso fazer? Proibir? Que direito tenho de fazer isso? O que tenho a oferecer para elas? Nada. Não tenho dinheiro, não tenho trabalho, nada. Como poderia ajudar? Agora não posso, e nunca vou poder. Daqui a um ano, talvez... Mas daqui a um ano, daqui a dez anos, onde estarei? O que farei?"

Na verdade, aqueles pensamentos vinham pululando na cabeça de Raskólnikov há muito tempo. A carta da mãe, ao que parece, apenas fizera com que eles aflorassem todos outra vez, ao mesmo tempo.

– É melhor acabar com essa vida de uma vez! – gritou com furor, e essa também não era uma ideia nova, mas muito antiga, que de tempos em tempos lhe ocorria. Lembrou-se de Marmeládov e refletiu. – Para onde ir, quando não se tem mais para onde ir?

Dando por si, percebeu que estava no Bulevar K*. Sentia-se cansado e então procurou um banco para se sentar. Encontrou um, cerca de cem passos depois. Observando o movimento, notou uma mocinha parcamente vestida, andando sem rumo, aparentemente bêbada. Pouco depois, um homem começou a segui-la. Os dois sumiram de vista.

"Pobre moça...", pensou Raskólnikov. "Quando voltar a si, vai cair no choro... Vai apanhar da mãe. Ou não, vai ver a mãe sabe, está esperando por ela... Vai voltar a si e depois tudo de novo, vinho, taberna... Mas para onde mesmo que eu estava indo?"

Raskólnikov se mexeu no banco e tentou se lembrar.

"Saí para ir em algum lugar. Era à casa de Razumíkhin? Mas para quê?"

Ficou surpreso consigo mesmo. Dmitri Prokófievitch Razumíkhin era um de seus antigos colegas de faculdade. Quando ainda frequentava as aulas, Raskólnikov praticamente não tinha camaradas, evitava ao máximo ter contato com alguém. No fundo, desprezava os demais. Mas de Razumíkhin, por alguma razão, não se afastara, até mesmo se aproximara e de maneira franca. Era um rapaz incomumente alegre, bom e simples, mas nada bobo, embora acontecesse de ser um tanto simplório, às vezes. Em verdade, era justamente nessa simplicidade que jazia seu grande mérito e, por isso, todos gostavam dele. Era muito alto, magro, em geral com a barba por fazer, moreno. Algumas vezes bebia até não poder mais, outras vezes nem tocava no copo; algumas vezes estava cheio de gracinhas e brincadeiras, outras vezes ficava calado. O mais impressionante em Razumíkhin era que nada, nem o maior dos contratempos, era capaz de desanimá-lo. Fazia já quatro meses que Raskólnikov não aparecia no apartamento do amigo. Dois meses atrás, inclusive, tinha até desviado o caminho para não encontrar com Razumíkhin, que ele divisara na multidão. Então, por qual razão deveria visitá-lo agora?

"Não, não é o momento", pensou consigo mesmo, sentindo-se surpreendentemente tranquilo. "Verei Razumíkhin mais tarde, depois de ter feito *aquilo*... Mas será que teria coragem de fazer?"

Levantou-se do banco e pôs-se a caminhar rapidamente, quase correndo; queria voltar para casa, mas, ao mesmo tempo, sentia um nojo imenso daquele lugar. Continuou caminhando a esmo.

Um tremor nervoso tomou conta de seu corpo, sentia calafrios, a despeito do tempo excessivamente quente. Sentia a cabeça rodar, tentava

CRIME E CASTIGO

fixar o olhar nas coisas que o cercavam, mas não conseguia. Não podia nem se lembrar do que estava pensando. Nessa espécie de delírio, seguia seu caminho e assim, ao acaso, foi parar em uma das partes mais verdes de Petersburgo.

O frescor das árvores foi um alívio para Raskólnikov, habituado ao pó e ao concreto da cidade. Começou a caminhar mais lentamente, prestando atenção especialmente nas flores. Ali não havia mau cheiro nem mormaço. Por um instante, sentiu-se renovado, mas logo novamente alguma coisa ruim tomava conta de seu corpo.

Parou para contar o dinheiro. Tinha bebido com Marmeládov, depois, havia deixado algumas moedas para ele e sua família e ainda tinha dado três copeques para Nastássia pela carta. Não restava quase nada. De repente, ele se deu conta de que estava em frente a uma cantina, ou antes, uma birosca, e sentiu muita fome. Entrou e pediu um cálice de vodca e um pastelzinho de carne. Fazia tempo que não tomava vodca e, mesmo que tivesse sido apenas um cálice pequeno, o efeito foi imediato: começou a sentir uma vontade imensa de dormir. Foi para casa, sentindo as pernas bambas.

Naquele estado ébrio e doentio, Raskólnikov chegou em casa, deitou-se em seu sofá e logo adormeceu. No entanto, foi um sono agitado, com um sonho terrível.

Sonhou que era ainda criança e ia com seu falecido pai caminhando pelas aldeias de sua cidade. Passavam em frente a uma casinha com uma carroça atrelada a um cavalo muito velho e nitidamente cansado. O camponês, dono do animal, atulhava a carroça de objetos, enquanto outros camponeses riam dele, dizendo que seria impossível aquele pangaré conseguir levar qualquer coisa, ainda mais uma carroça tão cheia quanto aquela.

– Pois vai conseguir! – dizia o dono. – Vai aguentar e vai puxar!

Ele subiu na boleia e começou a chicotear o cavalo que, com muito esforço, tentava arrastar a pesada carroça.

– Que maldade! Para que fazer isso com o bichinho? – perguntou uma camponesa.

– O cavalo é meu! É meu, e eu faço o que eu quiser! – respondeu o dono.

O pequeno Raskólnikov não queria ver aquilo, mas não conseguia desviar os olhos. O dono continuou chicoteando e amaldiçoando o cavalo, depois mandou que todos os outros camponeses subissem na carroça, para ver como o animal aguentava, como levaria todos até a aldeia vizinha.

– Vai levar, vai levar todo mundo! – repetia o camponês, fustigando o lombo do animal. – É meu e vai fazer o que eu mandar.

– Papai, por que estão fazendo isso? – perguntou Raskólnikov.

– Venha, vamos embora – respondeu o pai. – Eles estão bêbados, não sabem o que estão fazendo.

Mas, por algum motivo, os dois continuavam ali, observando aquela cena. Os camponeses riam de se acabar, enquanto o pobre cavalo continuava fazendo força para sair do lugar. Finalmente, irritado e exausto, o cavalo deu um coice. Todos os camponeses deram ainda mais risada.

– Está que não se aguenta, mas ainda quer dar coices! – disse um.

– Vamos dar uma lição nele! – disse outro.

Desceram da carroça, desatrelaram o cavalo, arranjaram outros chicotes e continuaram a atormentá-lo, chicoteando em diferentes lugares: nas ancas, nas patas, na cabeça, direto nos olhos. O cavalo tentava fugir, mas não tinha forças, e os camponeses seguiam em seu encalço, chicoteando e gargalhando.

– Parem com isso! – gritava o pequeno Raskólnikov.

– Venha, vamos embora, depressa – dizia o pai, puxando o filho pela mão.

Por fim, o cavalo desabou no chão, espumando, coberto de sangue. Para acabar de vez com aquela história, o camponês dono do cavalo apareceu com um machado e cortou sua cabeça.

Ele acordou sobressaltado, arfando e banhado em suor frio.

"Graças a Deus foi só um sonho", pensou. "E que sonho mais horrível!"

CRIME E CASTIGO

Sentou-se no sofá, sentindo todo o corpo todo dolorido. Colocou os cotovelos nos joelhos e afundou a cabeça entre as mãos.

– Meu Deus! – exclamou – Será possível que farei isso? Vou pegar um machado e acertar direto na cabeça dela? Vai correr tanto sangue... É, imagine... Um machado, será mesmo?

Raskólnikov tremia como uma folha.

– Ora, por que ficar se atormentando assim? – continuou, baixinho, mergulhando outra vez em uma perturbação profunda. – Pois, ontem mesmo, quando fui fazer aquele... *teste*, ontem mesmo, tive a certeza de que não conseguiria... E agora? O que fazer? Não posso, não posso, é terrível, vil...

Levantou-se e preparou-se para sair outra vez. Estava pálido, seus olhos ardiam, o cansaço tomava conta de todos os seus membros, mas assim que se viu na rua, de repente, pareceu-lhe que podia respirar melhor. Sentiu que havia deixado para trás uma grande responsabilidade. "Senhor, me mostre o caminho", orava.

Passando por cima de uma ponte, parou e ficou olhando o Rio Nievá. O sol começava a se pôr, o céu estava avermelhado. Raskólnikov já não sentia o cansaço e o nervosismo que o consumiam havia um mês. Liberdade, liberdade! Ele estava livre de todas aquelas alucinações.

Depois, quando se lembrava de tudo o que tinha acontecido, Raskólnikov não podia deixar de ficar surpreso com uma circunstância em especial, que parecia ter sido um sinal do universo. Não podia explicar como, estando tão cansado e confuso, tinha saído outra vez para caminhar, nem como, quando voltava, em vez de ir direto para casa, acabara na Praça Sennaia. Pois foi bem ali, naquela praça, que ocorreu um encontro que lhe pareceu predestinado, um encontro que, para ele, selara o rumo dos acontecimentos.

Era perto das dez horas da noite quando passou pela praça. Os vendedores já estavam todos ceando ou guardando suas mercadorias. Apesar da hora, havia todo tipo de gente por ali se aglomerando nas tabernas. Passando por uma das travessas, Raskólnikov notou um homem e uma mulher, sua esposa, provavelmente, vendendo linhas, fios de lã e outros itens de costura. Eles ajeitavam suas coisas para encerrar o dia e conversavam com outra mulher, conhecida deles. Era Lizaveta Ivánovna, a irmã da velha Aliona, com quem Raskólnikov havia penhorado o relógio no dia anterior.

Era uma moça alta, desajeitada, tímida e submissa, de uns 35 anos, que vivia como se fosse uma escrava da irmã mais velha, trabalhando dia e noite. Assim que Raskólnikov a viu, ficou surpreso e, outra vez, teve uma sensação estranha.

– Você devia vir pessoalmente, Lizaveta Ivánovna – disse o mercador. – Venha amanhã, umas sete horas.

– Amanhã? – disse Lizaveta, pensativa, como se não tivesse certeza do que fazer.

– Que medo que tem da Aliona Ivánovna! – disse a mulher do mercador. – Ela nem é sua irmã de verdade.

– Ora! – disse o marido. – É só não dizer nada! Não diga nada a Aliona Ivánovna, eis o meu conselho. Venha sozinha, não diga nada, depois tudo se arranja.

– A que horas mesmo? – perguntou Lizaveta.

– Às sete da noite, amanhã.

– Faremos um chazinho – acrescentou a mulher.

– Está bem, eu venho – murmurou Lizaveta, começando, lentamente, a se levantar de seu lugar.

Raskólnikov seguiu seu caminho e não ouviu mais nada. Ele havia passado ali em silêncio, sem ser notado, e ouvira tudo sem perder uma só palavra. Sentiu um frio percorrer sua espinha: por acaso, por mero acaso, havia acabado de descobrir que Lizaveta, irmã e única companhia de Aliona Ivánovna, iria sair no dia seguinte, às sete horas da noite, e então a velha ficaria *completamente sozinha em casa.*

CAPÍTULO 5

Não foi difícil para Raskólnikov descobrir do que Lizaveta e os mercadores estavam falando. Uma família que estava de mudança queria se desfazer de algumas roupas, vestidos, principalmente, e procurava quem pudesse tentar vendê-los de porta em porta. Era esse o negócio de Lizaveta: ela vendia todo tipo de objeto, recebia uma comissão e saía andando pela cidade. Diferentemente da irmã, era muito honesta e sempre cobrava o preço combinado.

Fazia pouco tempo que Raskólnikov ouvira falar das irmãs pela primeira vez. Um antigo colega da faculdade havia indicado Aliona Ivánovna, caso estivesse sem dinheiro. Demorou até que precisasse ir até lá, naquela época, ainda frequentava a faculdade e dava algumas aulas, conseguia se virar. Havia um mês e meio que se lembrara disso e fora até a velha. Tinha somente o relógio do pai e um anelzinho dourado com pedrinhas muito miúdas, um presente de despedida da irmã. Logo no primeiro encontro, sem saber nada a respeito da velha, sentiu por ela um asco indescritível. Pegou o dinheiro e saiu de lá o mais rápido que pôde, entrando em uma cantina bem simples para comer e tomar alguma coisa. Enquanto tomava o chá, um pensamento estranho e insistente nasceu em sua cabeça.

Na mesa ao lado, estavam sentados um oficial e um estudante, que passava ao amigo o endereço de uma velha chamada Aliona Ivánovna, viúva de um secretário, que fazia empréstimos e penhorava objetos. Aquilo pareceu muito estranho a Raskólnikov, afinal, ele próprio havia acabado de sair justamente da casa dessa velha. Claro, não passava de uma coincidência, mas não podia deixar de achar aquilo surpreendente. Enquanto isso, o estudante contava ao camarada quem era a usurária.

Dizia que era uma velha rica, tão rica que poderia emprestar cinco mil rublos de uma vez. Porém, sempre pagava muito menos do que o objeto penhorado valia de fato e cobrava juros altíssimos. Se o penhor vencesse e o credor não viesse resgatar seus objetos, ela os vendia no dia seguinte. Em suma, era uma miserável. A velha tinha uma irmã chamada Lizaveta, uma moça alta e feiosa, que servia de capacho. Começaram então a falar dela.

Lizaveta era irmã de Aliona Ivánovna por parte de mãe, e havia uma grande diferença de idade entre elas. Em casa, era a caçula quem lavava, passava, cozinhava, limpava, enfim, quem fazia tudo. Além disso, costurava para fora e atuava como revendedora de todo tipo de mercadoria: roupas, tecidos, relógios, qualquer coisa. Todo o dinheiro que recebia dava para a irmã. A velha já deixara claro desde sempre que a irmã não receberia nem um centavo, nunca. Quando ela morresse, todo o dinheiro seria doado a um monastério, para que rezassem eternamente por sua alma. Para completar o perfil, o estudante disse que Lizaveta, de tempos em tempos, aparecia grávida.

– Como? Você não disse que ela é horrorosa? – perguntou o oficial.

– Bem, não é de todo mal. Tem uns olhos bonitos, bondosos. Tem quem goste.

– E você gosta dela?

– Bem, não é de todo mal... – respondeu o estudante e ficou pensativo. – Mas quer saber de uma coisa? Eu queria mesmo era matar a velha e roubar tudo o que ela tem!

O oficial soltou uma gargalhada, e Raskólnikov estremeceu. Como tudo aquilo era estranho!

– Se me permitir, quero fazer uma pergunta muito séria – disse o estudante, com ardor. – Eu, claro, estava brincando, mas veja: de um lado, temos uma velha rica, mas ruim, egoísta e doente, que nem sabe para que vive e que, mais cedo ou mais tarde, vai acabar morrendo mesmo. Está entendendo?

– Estou... – respondeu o oficial, enquanto observava o companheiro com atenção.

– Pois então! De outro lado, temos gente jovem, bondosa, que poderia fazer muita coisa boa, mas não tem condições! Imagine o quanto

CRIME E CASTIGO

poderia ser feito com o dinheiro da velha, dinheiro que ela quer dar para um monastério! Ajudar pessoas, tirar famílias da miséria... É só matar a velha e pegar o dinheiro. Então, o que acha? Cem boas ações podem expurgar um crime? Afinal, o que representa a vida de uma velha como essa? Não vale mais que a vida de um piolho, de uma barata. E tem mais: Lizaveta Ivánovna estaria finalmente livre da irmã e poderia viver em paz.

– Bem, claro, a velha não merece viver, mas a natureza é assim.

– Ora, natureza! Há quem possa comandar a natureza. Sem isso, não haveria nenhum grande homem no mundo. "Dever", "consciência", o que são? Como entender essas coisas? Espere, vou lhe fazer mais uma pergunta. Escute!

– Não, escute você, eu vou lhe fazer uma pergunta. Está ouvindo?

– Está bem, estou.

– É você quem vai matar essa velha?

– Não! Claro que não! Estou falando por uma questão de justiça, não que eu vá fazer isso.

– A meu ver, enquanto você não se resolver, não haverá justiça alguma! Vamos jogar mais uma partida!

Raskólnikov estava extraordinariamente inquieto. Tudo aquilo não passava de conversa de gente jovem, e ele mesmo já ouvira ideias semelhantes centenas de vezes, das mais diferentes formas. Mas por que razão agora, naquele momento, escutara justamente aquela conversa? Uma conversa que falava exatamente daquilo que ele próprio estava pensando. Aquela conversa trivial tivera sobre ele um efeito extraordinário e parecia indicar uma direção para todas as suas futuras ações...

****

De volta da Praça Sennaia, Raskólnikov jogou-se no sofá e ficou ali sentado uma hora inteira sem se mexer. Escureceu. Ele não tinha velas para acender, mas também não se lembraria de fazê-lo. Sentindo a febre tomar conta dele outra vez, deitou-se no sofá e caiu no sono. Dessa vez, surpreendentemente, seu sono foi longo e tranquilo.

Quando Nastássia entrou no quarto, às dez horas da manhã do dia seguinte, ele ainda dormia. Ela trouxera pão e chá para o desjejum. O chá, como sempre, era requentado.

– Mas só dorme! – exclamou indignada.

Raskólnikov tentou se erguer. Sua cabeça doía. Não conseguindo se levantar, virou para o outro lado no sofá, dando as costas para Nastássia.

– Vai dormir ainda? Tá doente ou o quê?

Raskólnikov nada respondeu.

– E o chá? Vai querer?

– Depois... – disse com esforço.

– Só pode estar doente – sentenciou Nastássia e foi embora.

Quando ela voltou, às duas horas, com a sopa, o jovem ainda estava deitado como antes. Não havia tocado no chá. Nastássia ficou ofendida e começou a cutucá-lo:

– Ei! O que há com você?

Ele conseguiu se erguer e sentou-se no sofá, olhando para o chão.

– Fica andando por aí, pegou um golpe de vento – disse ela –, mas vai comer ou não vai?

– Depois...

Ela ficou ali parada mais uns minutos, depois lançou a Raskólnikov um olhar compassivo e saiu.

Ele levantou os olhos, olhou para o chá, o pão e a sopa. A cabeça doía menos agora. Com esforço, esticou a mão para pegar o pão e começou a comer. Comeu pouco, deu duas colheradas na sopa, maquinalmente. Deitou-se novamente, com a cabeça afundada na almofada. Ficou muito tempo nessa posição. Não dormia, mas estava em um estado letárgico. Seus pensamentos vagueavam como se sonhasse. Via caravanas atravessando o deserto do Egito... Um oásis de águas límpidas... Ele pegava aquela água com as mãos em concha... De repente, ouviu o soar de um relógio. Levantou a cabeça, assustado. Olhou pela janela, imaginou que horas eram, levantou-se rapidamente. Na ponta dos pés, aproximou-se da porta, tudo estava quieto, nenhum movimento no corredor. Seu coração batia acelerado. Como era possível que tivesse passado o dia todo naquele estado, sem ter feito nada? Havia pouco o que fazer, na verdade.

CRIME E CASTIGO

Tirou de dentro da almofada um cadarço grosso e comprido, que estava ali enrolado há tempos, junto de seus trapos. Cortou o cadarço em duas partes e começou a costurá-lo na parte de dentro do casaco. Suas mãos tremiam, mesmo assim conseguiu costurar tudo perfeitamente, pelo forro, de maneira que quem o visse com o casaco não saberia que havia algo ali embaixo. Fazia tempo que arranjara linha e agulha. Aquilo serviria para carregar o machado. Seria impossível sair pela rua carregando esse objeto nas mãos. Com os cadarços costurados, poderia pendurar o machado por dentro do casaco sem que ninguém percebesse.

Feito isso, afastou o sofá, enfiou a mão em um buraco que havia ali e tirou de lá um "penhor". Esse "penhor", que também havia tempos estava ali preparado, era, na verdade, uma pequena tábua de madeira, mais ou menos do tamanho de uma cigarreira. Ele havia encontrado a tabuinha por acaso, em um de seus passeios pela cidade. Assim que pegou o "penhor", ouviu alguém gritar no pátio:

– Sete horas!

– Meu Deus! Sete horas! – exclamou, preocupado.

Precipitou-se em direção à porta, ficou de ouvido bem atento, pegou o chapéu e saiu, pé ante pé. Desceu silenciosamente todos os trinta degraus da escada, como um gato. Faltava o principal: o machado. Fazia tempo também que decidira que devia ser com um machado. Pensara primeiro na tesoura de jardim, mas acabou mudando de ideia. Sabia que o machado estaria na cozinha, era só ir até lá e pegá-lo, o que, a princípio, não seria difícil.

À noite, Nastássia quase nunca parava na cozinha, sempre passando pelos apartamentos ou indo na casa de algum vizinho. A porta da cozinha ficava sempre aberta. Era um dos poucos motivos pelos quais a senhoria brigava com ela. Assim, era só entrar na cozinha de fininho, pegar o machado e, depois de tudo terminado, colocá-lo de volta no lugar. Mas havia algumas questões: e se Nastássia voltasse e desse falta do machado? E se ela estivesse na cozinha quando Raskólnikov voltasse? Antes pensava que isso seria apenas um mero detalhe, mas agora a situação parecia ser bem mais complexa. Na verdade, ele nunca imaginara que, um dia, iria *de fato* se levantar, sair de casa e fazer *aquilo*...

De início, se ocupava com uma única questão: por que todos os crimes eram tão facilmente descobertos? Ele chegou às mais diferentes e variadas conclusões e, por fim, resolveu que o motivo era o seguinte: na impossibilidade de encobrir fisicamente o crime, o criminoso acabava, quase sempre, deixando uma pista. Podia ser por nervosismo, por leviandade, ou por outro motivo qualquer, mas sempre havia uma pista. Isso acontecia porque o criminoso, no momento do crime, na grande maioria das vezes, entrava em um estado de abatimento da razão, como se ficasse doente. Essa "doença" se desenvolvia pouco a pouco, tomando conta do indivíduo. Os sintomas surgiam já quando a ideia do crime começava a rondar a cabeça do indivíduo e iam evoluindo até o ponto máximo, quando de fato cometia-se o ato criminoso. Depois tudo passava, exatamente como uma doença. A grande questão era: a doença gerava o crime ou o crime que era acompanhado de uma doença (ou alguma coisa parecida)? Essa questão ele ainda não tinha como resolver.

Tendo chegado a tais conclusões, Raskólnikov decidira consigo mesmo que nunca, em hipótese alguma, seria dominado por essa doença, não deixaria nenhuma pista. Estaria sempre atento. Acima de tudo, pensava consigo mesmo que aquilo que iria fazer não era um "crime". Embora pensasse assim, quando o relógio soou sete horas, tudo saiu de forma um tanto inesperada, atropelada, e se sentia muito ansioso.

Enquanto descia as escadas, se perguntava se Nastássia não estaria mesmo na cozinha, se a porta estaria de fato aberta, se não iria encontrar, por acaso, a senhoria... Chegando à cozinha, percebeu que não só Nastássia estava em casa como também estava cuidando de seus afazeres ali mesmo. Ao notar Raskólnikov, ela começou a observá-lo e ficou com os olhos cravados no rapaz até que ele saísse dali. Estava tudo acabado: não havia machado!

"De onde foi que eu tirei que ela não estaria em casa?", perguntava-se Raskólnikov.

Crime e castigo

Chegando ao portão de entrada, ele parou perto do quartinho do zelador. Teria de sair, só para manter as aparências, passear, e sentia ódio disso. Mas tinha mais ódio ainda de voltar para o quarto. "Uma oportunidade como esta completamente perdida!", resmungava. De repente, teve um sobressalto. Pela porta entreaberta do quartinho, na escuridão, um brilho prateado chamou sua atenção. Não havia ninguém por perto. Na ponta dos pés, adentrou o quartinho e chamou pelo zelador. Nada. Mais que depressa, lançou-se sobre o machado, que estava debaixo do banco. Arrancou-o e colocou-o nos cadarços sob o casaco. Aprumou-se e observou como estava. Não dava para notar nada!

Pôs-se a caminho, tranquilo e grave, sem se apressar. Evitava ao máximo olhar para qualquer um que fosse. Lembrou-se do chapéu. "Meu Deus! Tive o dinheiro nas mãos e não arranjei um boné!" Começou a ficar preocupado, então avistou um relógio de parede em uma loja e viu que eram sete e dez. Tinha de se apressar. Era curioso: antes, quando pensava naquilo, achava que teria medo, mas agora não sentia medo algum. Nem um pouco.

Quando deu por si, estava diante do prédio. Afortunadamente, uma carroça de feno passava ali no exato momento em que Raskólnikov se aproximava, de maneira que ninguém pôde vê-lo entrar. Ele logo alcançou a escada e começou a subir. Ouvia vozes no pátio e nos apartamentos, mas não encontrou ninguém nem nas escadas nem nos patamares. No segundo andar, alguns pintores trabalhavam em um apartamento com a porta entreaberta. "Seria melhor que não tivesse ninguém, mas não faz mal, faltam ainda dois andares." Eis que chegou ao quarto andar. O apartamento da frente estava vazio, o apartamento diretamente abaixo ao da velha também. Ele respirou fundo.

"Não seria melhor ir embora?", pensou, enquanto se aproximava da porta. O mais absoluto silêncio. Voltou-se para a escada e escutou com atenção. Nada. Olhou mais uma vez em volta. Ninguém. Apalpou o machado sob o casaco. Sentia o coração bater cada vez mais e mais forte. Tocou a sineta. Não atenderam. Passados alguns instantes, tocou novamente, de maneira mais insistente. Não adiantou, ninguém atendeu.

A velha, claro, estava em casa, mas por estar sozinha não iria se arriscar a abrir a porta. Ele a conhecia muito bem. Aproximou a orelha da porta. Poderia ser só sua imaginação, mas pareceu-lhe ouvir a respiração de alguém ali, como se, do outro lado, a velha também estivesse com o ouvido colado à porta, tentando adivinhar quem estava ali no corredor.

Afastou-se da porta e tocou uma terceira e última vez. Passados alguns minutos, ouviu o tilintar de chaves e o ruído de um cadeado. A velha ia abrir a porta.

CAPÍTULO 6

Como sempre, a velha entreabriu a porta com cuidado, observando Raskólnikov com seus olhinhos desconfiados. Nesse momento, o rapaz cometeu um grande erro.

Achando que a velha teria medo de recebê-lo a sós, Raskólnikov precipitou-se e tentou forçar sua entrada. A velha, de fato, ficou assustada e tentou impedi-lo, fechando a porta novamente, porém era tarde. Ele era mais forte que ela e acabou conseguindo entrar na minúscula antessala. Os dois ficaram frente a frente, se olhando.

– Boa noite, Aliona Ivánovna – disse Raskólnikov, tremendo –, eu vim... Eu trouxe uma coisa para senhora... É melhor irmos para sala, onde tem luz.

– O que o senhor quer? Quem é o senhor?

– Aliona Ivánovna, tenha a bondade, sou eu.... Raskólnikov, seu conhecido... Veja, trouxe um penhor para a senhora...

Ele estendeu para a velha o falso penhor. Os olhinhos dela brilharam por um instante, mas ela não deixou nem por um segundo de observar atentamente o pacote e o rapaz. Raskólnikov sentia, pouco a pouco, o medo tomar conta dele. Era como se a velha tivesse adivinhado tudo. Teve vontade de sair correndo dali.

– O que tanto está olhando? – perguntou ele abruptamente. – Se quiser, pegue, se não quiser, tem quem queira, estou com muita pressa.

A velha pareceu voltar a si e com o costumeiro tom de voz disse:

– Ora, meu caro, não será necessário... O que o senhor trouxe?

– Uma cigarreira de prata. Já tinha falado dela para a senhora.

A velha estendeu uma mão.

– O que é isso, meu caro? Como suas mãos estão tremendo! Está até pálido! Levou um susto foi?

– É comum ficar assim pálido quando não se tem o que comer... – disse Raskólnikov, sem pensar muito. Ele sentia as forças se esvaírem

FIÓDOR DOSTOIÉVSKI

e achou que qualquer frase poderia estragar tudo. Mas aquela parecia ter funcionado, a velha aceitou o penhor.

– O que é isso mesmo?

– É uma... Cigarreira... De prata... Pode conferir.

Tentando ver melhor, a velha se aproximou de uma das janelas (todas elas estavam fechadas, apesar do calor). De costas para Raskólnikov, ela resmungava, tentando desfazer o embrulho. O rapaz tirou o casaco e soltou o machado do cadarço. Sentia as mãos fracas, tinha medo de derrubar o machado e pôr tudo a perder. Sentia a cabeça rodar. Sua força e determinação pareciam se esvair mais e mais a cada segundo.

– Mas olha só o que o senhor embrulhou aqui! – exclamou a velha, virando-se para Raskólnikov com a tabuinha na mão.

Não havia mais tempo a perder. Ele ergueu o machado com as duas mãos e, maquinalmente, baixou a parte posterior na cabeça da velha.

O golpe a atingiu bem nas têmporas. Ela só teve tempo de soltar um gritinho muito baixo e cair. Raskólnikov se aproximou e deu mais dois golpes em sua cabeça, usando sempre as costas do machado. O chão começou a se cobrir de sangue.

O rapaz colocou o machado no chão, ao lado da morta, e no mesmo instante pôs-se a procurar as chaves nos bolsos da velha, tomando cuidado para não se sujar com o sangue quente que escorria. Estava consciente e focado, mesmo assim suas mãos tremiam. Enfim achou as chaves, todas juntas em um mesmo molho. Entrou no quarto de dormir. Ali havia uma caixinha para os ícones religiosos, uma cama e uma cômoda. Assim que viu a cômoda, Raskólnikov sentiu medo outra vez, quis dar as costas e ir embora. Mas era tarde para isso.

De repente, teve a estranha sensação de que a velha ainda estava viva, atenta a tudo que ele fazia. Voltou para a sala, pegou o machado e preparou-se para dar mais um golpe no crânio esfacelado da velha, mas não o fez. Estava morta, não havia dúvidas. Nesse ínterim, notou um cordão em seu pescoço. Puxou o cordão e viu ali penduradas uma pequena cruz e um porta-níqueis. Tentou arrancá-lo com as mãos, mas não conseguiu. Puxou e puxou, tentou cortar com a lâmina do machado. Por fim, depois de ter se sujado de sangue, conseguiu cortar o cordão.

CRIME E CASTIGO

Raskólnikov agarrou o porta-níqueis e, vendo que estava abarrotado, meteu-o no bolso sem abri-lo. A cruz, ele jogou sobre o peito da velha.

De volta ao quarto de dormir, tentou todas as chaves na cômoda, mas nenhuma delas servia. E não era porque suas mãos tremiam, simplesmente não encaixavam na fechadura. De repente, se deu conta de que aquelas chaves não deveriam ser da cômoda, mas de algum baú. Olhou embaixo da cama e, dito e feito, encontrou um baú. Dentro dele, protegido sob um lençol, havia um casaco de pele de lebre, um vestido, depois um xale, depois alguns trapos. Enrolados ali naqueles trapos havia um relógio de ouro, braceletes, correntes, brincos e toda sorte de joias. Raskólnikov começou a colocar algumas em seus bolsos, mas não teve tempo de apanhar muitas.

De repente, ouviu passos no cômodo ao lado, onde deveria estar somente a velha morta. Esperou um instante, ouviu um grito fraco, então apanhou o machado e saiu.

No centro da sala, estava Lizaveta Ivánovna. Pálida e estupefata, ela olhava para a irmã, incapaz de reagir. Seus olhos se arregalaram ao ver Raskólnikov entrando com o machado e ela mal teve tempo de erguer os braços, em uma tentativa inútil de se proteger, antes de receber um golpe, direto na cabeça. O sangue de Lizaveta começou a correr e a se misturar ao da velha. Raskólnikov arrastou o corpo para um canto e retornou ao quarto de dormir.

Depois daquele segundo e completamente impensado assassinato, o medo tomava conta dele. Tinha vontade, mais que nunca, de ir embora dali correndo. Se soubesse tudo que ainda iria passar depois disso, quantas complicações, quanta mentira e quanta maldade ainda o esperavam, certamente teria ido direto à polícia confessar seu crime. Um asco incontrolável crescia dentro dele. Olhando ao redor, viu uma bacia com água. Decidiu se lavar e limpar o machado.

Com um pedaço de sabão que encontrou ali, lavou cuidadosamente as mãos e as secou em uma toalha. Lavou também o machado e o limpou com um lençol. Aproximou-se de uma das janelas, procurando um pouco mais de luz, e examinou atentamente a ferramenta. Não restara nenhum vestígio, nada. Atentou-se à roupa, aos sapatos, procurando alguma mancha. "Oh, Deus! Tenho de sair daqui!", murmurou agoniado, mas ainda uma nova e terrível surpresa o aguardava.

A porta de entrada, agora via horrorizado, ficara entreaberta depois da chegada de Lizaveta. Aliás, a velha não tinha trancado a porta depois que ele entrara, o que significava que a porta estava destrancada o tempo todo. Precipitou-se para a porta e fechou o trinco. Ficou ali escutando com atenção. Nada.

Saiu do apartamento e então ouviu passos. Passos subindo as escadas. Ficou parado diante da porta. Por alguma razão, Raskólnikov teve a certeza de que estavam vindo para o quarto andar, para o apartamento da velha. Os passos se aproximavam, já estavam no terceiro andar, então, instintivamente, voltou para o apartamento e fechou a porta com o trinco. Ficou atrás da porta, aflito. Os passos se aproximaram da porta, ouviu a respiração pesada do visitante. "Deve ser alguém grande e gordo", pensou. Um instante depois, a campainha tocou.

O som metálico da campainha gelou a alma de Raskólnikov. Ele teve a sensação de que alguém na sala tinha se levantado e vinha atender a porta. O visitante tocou mais uma vez. Impaciente, bufou e então começou a bater e balançar a porta. Horrorizado, com o machado nas mãos, Raskólnikov sabia que logo o visitante perceberia que a porta estava presa só pelo trinco e poderia tentar arrebentá-lo.

– Abram a porta! Eu sei que estão em casa! – gritou o recém- -chegado. – Ei, Aliona Ivánovna, sua bruxa velha! Abra! Lizaveta Ivánovna! O que foi? Estão dormindo?

Raskólnikov ouviu então novamente o ruído de passos na escada se aproximando, passos mais suaves.

– Não é possível que não estejam em casa! – disse uma segunda voz. – Como vai você, Kokh?

"Deve ser um rapaz bem jovem, a julgar pela voz", pensou Raskólnikov, segurando ainda o machado.

– O diabo que as carregue! Não estão em casa! – respondeu Kokh.

– Bem, o que posso fazer? O jeito é ir embora... E eu que precisava de um dinheirinho!

CRIME E CASTIGO

– É, o jeito é ir embora. Velha dos infernos!

– E se perguntarmos para o zelador?

– Perguntar o quê?

– Aonde a velha foi, a que horas volta...

– Hum... Sim, é, pode ser...

– Mas espere – disse o rapaz. – Veja, a porta não está trancada.

– Como não está?

– Quero dizer, não está trancada nem à chave nem com cadeado, está só no trinco.

– E daí?

– E daí que se está só no trinco tem de ter alguém em casa! Não é possível fechar uma porta com trinco por fora.

Kokh bufou mais uma vez e então começou a chacoalhar a porta.

– Espere! – interrompeu o rapaz. – Não faça isso! Alguma coisa está errada...Você já tocou, bateu, elas não abriram. Ou elas desmaiaram ou então...

– Ou então o quê?

– Venha, vamos chamar o zelador para acordar as duas.

Os dois se afastaram da porta, e Raskólnikov ouviu que desciam as escadas, conversando sobre qualquer coisa. Esperou mais um pouco, de ouvidos atentos. Então, guardou cuidadosamente o machado sob o casaco, saiu do apartamento, fechou a porta o melhor que pôde e desceu as escadas correndo.

Já estava próximo do segundo andar quando ouviu vozes. Os dois pintores que trabalhavam naquele andar pareciam estar discutindo. Raskólnikov parou na escada, viu os dois saindo do apartamento, gritando e quase rolando as escadas. Esperou um minuto e preparou-se para continuar descendo, mas então ouviu vozes subindo as escadas. Eram o tal Kokh e o rapaz. E vinham com o zelador! O que fazer? Mais que depressa, alcançou o segundo andar e enfiou-se no apartamento que os pintores haviam deixado vazio, escondendo-se atrás da porta. E bem a tempo! Mal Raskólnikov entrou ali, ouviu as vozes conhecidas chegando ao segundo andar e seguindo o caminho escada acima.

47

Ele esperou mais um pouco. Na ponta dos pés, saiu do apartamento e desceu as escadas rápida e silenciosamente. Não encontrou ninguém nas escadas nem no pátio. Assim que chegou à rua, virou à esquerda.

O rapaz sabia muito bem que, naquele exato momento, Kokh e os outros já estariam no apartamento da velha, completamente surpresos. A porta, antes fechada, agora estava aberta, e a velha e sua irmã estavam mortas, estiradas no chão coberto de sangue. Certamente, eles se perguntavam como o assassino havia escapado. Raskólnikov sentia o suor escorrendo em bicas; o colarinho estava todo empapado. Ainda um tanto fora de si, Raskólnikov tentava resolver uma importante questão: como faria para recolocar o machado no lugar? Afinal, chegou ao prédio onde vivia e tudo acabou se resolvendo.

A porta do caseiro estava fechada, mas não à chave, o que, a princípio, significava que ele estava em casa. Naquele momento, porém, Raskólnikov não estava em condições de imaginar o que faria se o caseiro estivesse mesmo ali. Se lhe perguntasse "o que deseja?", sentia que simplesmente entregaria o machado e daria as costas. Mas o caseiro não estava ali, e ele conseguiu colocar o machado exatamente no mesmo lugar de antes. Não encontrou ninguém, nem uma única alma, nem nas escadas, nem nos corredores.

Assim que entrou no quarto, caiu no sofá. Estava exausto, mas não conseguia dormir. Logo caiu novamente em uma espécie de letargia. Ideias diversas e fragmentos do que havia se passado borbulhavam em sua cabeça, mas não conseguia se ater a nenhum pensamento em especial, por mais que tentasse. E, também, do que adiantava? O que estava feito estava feito.

CAPÍTULO 7

Raskólnikov ficou deitado por muito tempo. Aconteceu de ele despertar, mas, percebendo que era noite alta, nem lhe passou pela cabeça se levantar. Horas depois, despertou novamente e viu que estava claro. Continuou deitado de costas no sofá, abandonado em uma espécie de torpor. Da rua, chegava o ruído alto das vozes dos bêbados deixando as tabernas. "Ah! Já estão saindo da taberna", pensou Raskólnikov. "Já passa das duas", e então deu um salto do sofá. "Já passa das duas!" Foi naquele instante que despertou completamente e lembrou-se de tudo.

De início, pensou que fosse enlouquecer. Um frio terrível tomou conta de seu corpo, mas isso era só a febre, que já vinha dando sinal há dias. Sentindo calafrios, começou a bater os dentes. Foi até a porta e a abriu, escutando atentamente o corredor. Todos dormiam. Olhou para si mesmo e ficou surpreso ao notar que vestia a mesma roupa da véspera, até o casaco. O chapéu jazia no chão, ao lado do sofá. E o pior: não havia trancado a porta, ficara todo aquele tempo com a porta destrancada, qualquer um poderia ter entrado ali. Aflito, aproximou-se da janela, em busca de luz, para verificar se não havia mesmo nenhum vestígio em suas roupas.

Tremendo inteiro e com a cabeça rodando, verificou uma, duas, três vezes, não encontrou nada além de uma pequena mancha de sangue seco na barra da calça. Cuidadosamente, cortou a barra com uma tesoura. No mais, não havia nada. Lembrou-se então do porta-níqueis e das joias que e ainda estavam em seus bolsos. Nem lhe passara pela cabeça esconder tudo aquilo! Revirando os bolsos, colocou os objetos sobre a mesa, depois abaixou-se e vasculhou o chão do quarto para ter certeza de que não havia caído nada. Embrulhou tudo em um trapo, afastou o sofá e enfiou o embrulho no mesmo buraco, onde antes escondera o falso penhor.

"Perfeito! Não dá nem para imaginar que tem alguma coisa ali!", pensou alegremente, mas em seguida mudou de ideia. "Oh, céus, o que há comigo? Isso lá é esconder?"

Nem chegou a contar o dinheiro e as joias que roubara. Sentando-se no sofá, sentiu novamente um calafrio percorrer seu corpo. Maquinalmente, deitou-se e cobriu-se com seu velho casaco. Entrou naquele mesmo estado de esquecimento de antes, entre o sono e o delírio.

Acordou, subitamente, em frenesi. "Como foi que caí no sono outra vez? Não resolvi nada! Como é possível?!" Virou o casaco do avesso e começou a descosturar o cadarço que servira de apoio para o machado. Depois, pôs-se a cortá-lo em pedacinhos e enfiá-los dentro da almofada. "Um cadarço cortado não quer dizer nada, nada", repetia consigo mesmo. Avistou no chão o pedaço da barra da calça manchado de sangue. "Mas o que há comigo?", resmungou, aflito, agarrando o retalho da calça e enfiando na almofada, junto do cadarço e dos outros trapos que ali guardava.

Passou então por sua cabeça que o casaco usado na véspera poderia estar sujo, cheio de manchas de sangue que ele não tinha visto. Lembrou-se de que o porta-níqueis que colocara no bolso da calça estava sujo de sangue. "Ora! O bolso deve estar todo com sangue seco!" Revirou os bolsos. Dito e feito: encontrou marcas de sangue. "Não estou em meu juízo perfeito", repetia, enquanto arrancava o forro do bolso. Procurou então os sapatos e as meias, neles também poderia haver vestígios. E havia: na ponta do sapato esquerdo e na meia do mesmo pé havia uma mancha de sangue. O que fazer com tudo aquilo? Esconder? Mas onde? Jogar fora? Queimar? Mas queimar como? Não havia nem um único fósforo ali. Os pensamentos aflitos de Raskólnikov foram interrompidos por uma batida na porta.

– Tá vivo ou não tá? – gritou Nastássia, batendo outra vez. – Abra a porta! Já são onze horas!

– Vai ver não está em casa – sugeriu uma voz masculina.

"É o zelador... O que será que ele quer?", pensou Raskólnikov. Nastássia continuava batendo na porta e chamando por ele. O mais depressa que pôde, escondeu os sapatos embaixo do sofá e os retalhos do bolso no travesseiro. Abriu a porta.

Nastássia entrou olhando de forma estranha para ele. Com ar desafiante e impertinente, Raskólnikov encarou o zelador. Este estendeu-lhe, sério, um papel dobrado em dois.

– É uma convocação – disse.

– Convocação? Convocação de onde? – quis saber Raskólnikov.

– Como de onde?! Da polícia! – disse Nastássia.

– Da polícia?... Mas para quê?...

– E como é que eu vou saber? – disse o zelador, olhando atentamente para ele.

Raskólnikov não respondeu nada, ficou olhando para o nada, segurando o papel da convocação. Ir à polícia... Para quê? Será que já haviam descoberto tudo? Seria possível? Imerso em seus pensamentos, já havia se esquecido completamente da presença de Nastássia e do zelador.

– Será que não tá doente mesmo? – comentou Nastássia, observando Raskólnikov – Parece que tá com febre... É melhor não ir.

– Está tudo bem – disse Raskólnikov, saindo do transe –, eu vou, estou indo agora mesmo... Vou me aprontar. Deem licença.

Nastássia e o zelador trocaram um olhar significativo e saíram do quarto. Raskólnikov trancou a porta e voltou a analisar o sapato. A bem da verdade, havia uma mancha, mas parecia antiga, gasta, coberta de pó, não se poderia dizer que era de sangue propriamente. Um pouco mais tranquilo, desdobrou a notificação e pôs-se a ler. Ele deveria comparecer ao escritório do inspetor de polícia naquele dia às nove e meia.

"Como é que isso foi acontecer?", pensava Raskólnikov, enquanto começava a trocar de roupa para sair. Calçou a meia manchada e na mesma hora a arrancou do pé. Porém, sabendo que não tinha nenhuma outra para usar, calçou-a novamente e começou a rir. "Uma meia velha e manchada! Grande prova!" Ergueu-se e pôs-se a caminho do escritório do inspetor.

Descendo as escadas, lembrou-se de que todos os objetos roubados estavam ainda em seu quarto, escondidos. E mal escondidos, pensando

FIÓDOR DOSTOIÉVSKI

bem. Se houvesse uma busca, facilmente iriam encontrar tudo e... Não adiantava pensar nisso agora. Raskólnikov apressou-se.

Lá fora, o calor estava insuportável. Havia chovido, mesmo assim havia poeira e cal por todas as ruas, e o odor fétido dos canais de Petersburgo pairava no ar. Bêbados, cocheiros e funcionários públicos circulavam pelas ruas. O sol brilhava, inclemente, direto nos olhos de Raskólnikov, ofuscando sua visão. Sua cabeça começou a doer e rodar, mas seguiu o caminho. Passou pela rua onde morava a velha. Passou em frente ao prédio onde ela morava. "Se me perguntarem, vou contar", pensou. O escritório da polícia ficava não muito longe dali, tinha sido mudado recentemente para um novo prédio, no quarto andar.

Raskólnikov alcançou a entrada e pôs-se a subir as escadas estreitas. "Assim que entrar vou ficar de joelhos e confessar tudo...", pensava. Chegou ao quarto andar e ficou parado no saguão de entrada. Algumas pessoas esperavam ali, de pé. Havia alguns escrivães em suas mesas e uma infinidade de portas que davam para os escritórios e gabinetes. Estava tão abafado ali quanto na rua. Raskólnikov adentrou e aproximou-se da mesa de um escrivão.

– O que deseja?

Ele mostrou a convocação.

– O senhor é estudante?

– Ex-estudante.

O escrivão olhou para ele, não sem alguma curiosidade.

– Vá até a sala do escriturário; é aquela ali – disse o escrivão, apontando em direção à sala.

Raskólnikov foi até a porta e entrou na sala, apinhada de gente, uma gente visivelmente mais bem-vestida do que todas as outras que Raskólnikov vira naquele andar. Alguns de pé, outros sentados em bancos, todos aguardavam para serem atendidos pelo escriturário, que estava instalado em uma mesa no fundo da sala.

Havia apenas duas damas ali, uma visivelmente mais modesta, trajando luto, que estava sendo atendida naquele exato momento, e outra

CRIME E CASTIGO

mais exuberante, com colares e anéis reluzentes, que parecia um tanto inquieta. Ao adentrar a sala e notar a quantidade de pessoas que ali estavam, Raskólnikov deu um suspiro. "Não deve ser por causa *daquilo* que me chamaram", pensou, mas, mesmo assim, ainda se sentia um tanto confuso e ansioso. Não conseguia, por mais que se esforçasse, manter a calma e pensar em alguma outra coisa.

O escriturário era um rapaz vestido com todo o esmero da moda. Devia ter uns 22 anos, mas sua gravidade e a expressão severa de seu rosto faziam com que parecesse mais velho. Nem mesmo a inquietação da dama exuberante, que começara a andar pela sala, havia abalado sua serenidade. Ele apenas pediu para ela fazer a gentileza de se sentar, o que a dama fez murmurando alguma coisa em alemão.

De repente, ruidosamente, um jovem oficial entrou no recinto. Ele largou o chapéu sobre a mesa do escriturário, sentou-se em uma poltrona a seu lado e acendeu um cigarro. A exuberante e inquieta dama, no mesmo instante, ficou ainda mais inquieta, porém o oficial parecia não dar-lhe a menor atenção. De fato, quem havia atraído seu interesse fora Raskólnikov e os andrajos que ele vestia.

– O que deseja? – gritou, quase indignado que um maltrapilho como aquele estivesse ali em seu gabinete.

– Mandaram que eu viesse... – respondeu Raskólnikov, sem jeito, aproximando-se da mesa.

– É aquele caso de cobrança de dinheiro. – apressou-se em dizer o escriturário, estendendo um papel a Raskólnikov.

"Dinheiro? Mas que dinheiro?", pensou.

– A que horas estava marcada sua audiência? – perguntou o oficial, ainda mais irado que antes. – Ora, marcaram às nove e o senhor me aparece aqui ao meio-dia!

– É que me notificaram meia hora atrás! – respondeu Raskólnikov, mais alto e mais grosseiro do que pretendia. – Foi por isso que vim até aqui assim, ardendo em febre.

– Faça o favor de não gritar!

Fiódor Dostoiévski

– Eu não estou gritando, estou falando normalmente, é o senhor quem está gritando. E ainda por cima baforando o rosto da gente com esse cigarro fedorento.

O escriturário observava os dois com um sorriso discreto nos lábios. O oficial estava claramente desconcertado.

– Ora! Era só o que me faltava! – explodiu. – O senhor devia era pagar o que deve. Mostre a ele, Aleksandr Grigórevitch, mostre a ele a queixa. Mostre!

O escriturário estendeu outro papel a Raskólnikov, que o agarrou avidamente. Passou os olhos uma, duas vezes pelas linhas, mas não conseguia entender do que se tratava.

– Mas o que é isso afinal?

– É uma cobrança. O senhor tem de pagar o valor total da dívida ou pelo menos deixar uma declaração com a data quando poderá pagar. Além disso, fica obrigado a permanecer na cidade até que a dívida seja quitada.

– Mas eu não devo nada para ninguém!

– Isso já não é problema nosso – respondeu Aleksandr Grigórevitch, inabalável. – A senhora Zarnítsyna veio até aqui com uma queixa de inadimplência, nós estamos apenas seguindo o protocolo.

– Mas essa é minha senhoria!

– Bem, é lógico, quem mais seria?

O escriturário olhou para Raskólnikov e deu um sorriso condescendente. Raskólnikov ficou ali parado, ouvindo as perguntas, respondendo, mas tudo maquinalmente. A verdade é que fora invadido por um inexprimível sentimento de felicidade. Não tinha nada a ver com *aquilo*. Estava salvo! Mas a sensação de alívio foi logo interrompida pelo oficial que, ainda irado, investiu sua grosseria contra a dama exuberante e seus anéis. Ainda mais inquieta e coberta de injúrias, a dama foi tratando de se retirar e, ao alcançar a porta, acabou esbarrando em um outro oficial, o inspetor de polícia Nikodim Fomítch.

– Sempre explosivo, senhor Iliá Petróvitch – disse o inspetor, de maneira amigável.

CRIME E CASTIGO

– Ora! – bufou o oficial. – Veja, Nikodim Fomítch, o estudante aqui não paga as dívidas, chega atrasado e ainda vem reclamar que eu estou gritando e fumando "um cigarro fedorento"! Onde é que já se viu? Se não tem dinheiro para pagar, que desocupe logo!

– A pobreza não é pecado, meu amigo! Tenho certeza de que não houve nada de mais.

Raskólnikov foi tomado por uma necessidade de se explicar e tentar ser agradável com o inspetor que acabara de chegar.

– Sim, meu caro inspetor – começou ele –, coloque-se no meu lugar... Sou apenas um estudante pobre e doente, não tenho nada. Na verdade, ex-estudante, pois não tive como manter meus estudos... Tenho uma mãe e uma irmã que vivem no interior e...

– Nada disso é da nossa conta – interrompeu o escriturário.

– Sim, sim, veja, vou pagar... Vou pagar, mas... Deixem que eu explique minha situação... Já faz três anos que moro na casa da senhora Zarnítsyna e... logo que cheguei, eu, bem, eu dei minha palavra que me casaria com a filha dela. Era uma moça tão frágil, doente, acabou morrendo antes e...

– Ora, nada disso nos interessa! – interrompeu Iliá Petróvitch. – Basta de ninharias, não temos tempo! O que precisamos do senhor é uma declaração.

– Quanta grosseria... – disse Nikodim Fomítch, como se estivesse com vergonha. Ele então se aproximou do escriturário, que ajeitava seus papéis.

– Faça o favor de escrever. – disse a Raskólnikov.

– Escrever o quê? – perguntou com aspereza.

– O que eu vou ditar.

Pareceu a Raskólnikov que Nikodim Fomítch e o escriturário também assumiram um ar agressivo e mesmo desdenhoso. O inspetor ditou uma resposta padrão para situações como aquela. Raskólnikov começou a sentir uma raiva fortíssima que ia tomando conta de seu corpo. Sua cabeça voltou a rodar e a mão com a qual escrevia começou a tremer.

– O senhor está doente? – perguntou o escriturário, com curiosidade.

– Estou um pouco... É só uma tontura... O que mais?

– Mais nada, basta assinar. Obrigado.

O escriturário recolheu o papel e continuou o atendimento, chamando o próximo. Raskólnikov quis ir embora, mas a cabeça doía imensamente. Sentou-se em um dos bancos e apertou-a com toda a força com ambas as mãos. Era como se estivessem martelando pregos com toda força em suas têmporas. Chegou a pensar em confessar tudo que se passara na véspera a Nikodim Fomítch. Sim, devia confessar tudo ali mesmo. De repente, como se voltasse a si, ouviu um trecho da conversa.

– E Kokh e o outro vão ser liberados hoje, não há provas! Ele jura de pés juntos que a porta estava fechada somente por dentro quando chegou ao apartamento da velha, e que depois, quando voltou, a porta estava completamente aberta – dizia Nikodim Fomítch.

– Que confusão! – respondia Iliá Petróvitch. – Quer dizer que o assassino estava no apartamento o tempo todo!

– Precisamente.

– E ninguém o viu sair? Como?

– Como é que iriam ver? Aquele prédio é um verdadeiro labirinto – observou o escriturário.

Nesse momento, Raskólnikov se levantou, colocou o chapéu, dirigiu-se até a porta e desmaiou.

CAPÍTULO 8

Quando voltou a si, estava sentado em uma cadeira, cercado por rostos difusos. Alguém segurava um copo com líquido amarelado perto de seu nariz.

– O senhor está doente? – ouviu a voz de Nikodim Fomítch perguntar.

– Não estava aguentando nem segurar a pena – notou o escriturário, voltando para sua mesa.

– Faz tempo que está doente? – trovejou Iliá Petróvitch.

– Desde ontem... – murmurou Raskólnikov.

– E saiu de casa ontem?

– Saí.

– Doente?

– Doente.

– A que horas?

– Às oito horas da noite.

– Aonde foi?

– Andar pela rua.

Raskólnikov respondeu secamente, sem pestanejar, pálido como um lençol e sem tirar os olhos de Iliá Petróvitch.

– Não está se aguentando nas pernas... – disse Nikodim Fomítch.

– Isso não é nada! – ironizou o oficial.

O inspetor ficou calado e olhou significativamente para o escriturário, que lhe devolveu o olhar. Ficaram em silêncio. A sala toda ficou em silêncio. Foi um momento muito desconcertante e incômodo para todos.

– Ora, venha! – disse Iliá Petróvitch, por fim. – Vamos ajudá-lo.

Ele e Nikodim Fomítch escoraram Raskólnikov e o ajudaram a sair da sala. O rapaz desceu lentamente as escadas estreitas do prédio até a rua. Com certa dificuldade, ainda muito tonto, seguiu seu caminho, debatendo consigo mesmo.

"Uma busca, vão fazer uma busca!", pensava Raskólnikov. "Já estão suspeitando de mim!" Um medo horrível gelou seu corpo inteiro da cabeça aos pés. "E se já tiverem feito a busca enquanto eu estava lá na delegacia?", perguntava-se, voltando, apressado, para casa. Mas, ao chegar a seu quarto, notou que não acontecera nada. Estava tudo no mesmo lugar, nem mesmo Nastássia parecia ter entrado ali.

Mesmo assim, ansioso, precipitou-se em direção ao buraco onde escondera os objetos roubados. Eram oito, ao todo: duas caixinhas incrustadas de pérolas, quatro pequenos estojos de marroquim, uma corrente e uma medalhinha. Ele dividiu aquilo tudo nos bolsos das calças e do casaco. Pegou também o porta-níqueis e meteu no bolso direito. Saiu novamente.

Caminhava rápido e a passos firmes, embora sentisse que tudo tinha dado errado. Sentia medo de que dali uma hora, dali meia hora até, recebessem ordens de segui-lo. Era preciso ajeitar tudo, enquanto ainda havia tempo. Mas o que fazer? Para onde ir? "Vou jogar tudo em um canal", decidiu às pressas. Continuou andando, procurando um lugar pouco movimentado em que pudesse se desfazer dos objetos roubados sem ser notado. Aproximando-se finalmente das margens de um canal, desistiu. E se alguém o visse? E se os estojos de marroquim não afundassem e sim saíssem boiando canal afora? Com certeza alguém iria notar. Não, teria de arranjar outra solução. De repente, teve uma ideia: por que não enterrar tudo aquilo? Decidido, rumou para uma das ilhas mais distantes de Petersburgo. No meio do caminho, porém, apareceu outra solução.

Ele se deparou com a entrada para um pátio estreito, cravado entre as paredes de dois edifícios. Observando bem, notou que havia ali algumas pedras e materiais de construção e que, mais ao fundo, ficava uma espécie de oficina, talvez uma serralheria. Decerto, pouca gente passava por ali e, além do mais, havia tanta tralha pelo caminho que dificilmente alguém encontraria alguma coisa escondida. "Eis um bom lugar para

CRIME E CASTIGO

largar tudo isso e ir embora!", pensou. Não vendo ninguém por perto, tratou de entrar no pátio. Encontrou uma grande pedra, revirou-a e encontrou uma pequenina cova. Rapidamente, largou todos os objetos ali, colocou a pedra de volta e saiu do pátio da maneira mais rápida e discreta que pôde.

Foi tomado outra vez por uma felicidade inexplicável. "Pronto! Tudo resolvido! Quem é que vai pensar em procurar embaixo de uma pedra? E nessa biboca então? E mesmo que encontrem, quem vai pensar que fui eu que fiz isso? Tudo resolvido! Nenhuma evidência!", pensou ele e até soltou uma gargalhada. Mais tarde, ao rememorar sua história, Raskólnikov entendeu que aquele não fora um riso de alegria, mas sim de puro nervosismo.

Quando deu por si, estava naquela mesma praça onde, alguns dias antes, vira uma mocinha parcamente vestida, andando sem rumo, aparentando estar bêbada. Sentiu por um momento um asco terrível de estar ali, então continuou seu caminho. Olhando ao redor, distraído, sua cabeça começou outra vez a girar com inúmeros pensamentos. De repente, parou, tomado por uma pergunta completamente nova, extraordinária e inesperada que jamais lhe havia ocorrido até então: se tudo aquilo que havia feito tinha um objetivo, uma razão, por que é que nem ao menos se dera ao trabalho de ver o que tinha dentro do porta-níqueis? Por que não quisera fazer uso daquilo que roubara, por que simplesmente escondera tudo? "É que estou doente, muito doente", pensou em resposta. "Já não sei mais o que estou fazendo", concluiu.

Sempre caminhando, Raskólnikov atravessava as ruas da cidade, sem destino. Quando se deu conta, estava em frente ao edifício de seu amigo, ou melhor, seu ex-colega de faculdade, Razumíkhin. "É bem aqui que ele mora", pensou. "Como é que vim parar aqui? Curioso..." Imaginando que haveria alguma razão oculta que o levara até ali, o rapaz entrou no edifício e subiu as escadas até o quinto andar.

Razumíkhin estava em casa, ocupado com seus negócios, escrevendo. Fazia bem uns quatro meses que eles não se viam. O camarada de Raskólnikov vestia um robe surrado e chinelos ainda mais surrados, estava, como de costume, com a barba por fazer e despenteado. Ao abrir a porta, seu rosto expressou a mais profunda surpresa.

– Por onde andou?! – exclamou ele, olhando o amigo de cima a baixo. – Pelo jeito, vai mal, hein? Entre, entre! Deve estar cansado.

Assim que Raskólnikov entrou, Razumíkhin o acomodou em um velho divã. Em seguida, observou bem o visitante e concluiu que ele estava doente.

– Você está bem doente, sabia?

– Não estou, não – respondeu Raskólnilkov. – Eu só vim porque... Porque estou sem alunos, queria que me arranjasse alguns.

– Sabe do que mais? Está doente e delirando!

– Não estou delirando... – disse, levantando-se do sofá e preparando- -se para ir embora. Por algum motivo, não imaginara que teria de estar cara a cara com Razumíkhin ao visitá-lo. O ódio que sentia de todas as pessoas tomou conta dele. – Adeus!

– Espere um minuto, seu maluco!

– Não, não espero!

– Mas por que raios veio até aqui? Perdeu a cabeça de vez ou o quê?

– Bem, na verdade... Ouça... Eu vim porque não conheço ninguém além de você, ninguém que possa me ajudar e... Agora que cheguei, percebi que não preciso de nada. De nada! E me deixe em paz!

– Espere! Ficou maluco ou o quê? – perguntou Razumíkhin. – Veja, eu mesmo não tenho mais alunos, mas estou fazendo umas traduções. Até que pagam bem e recebo adiantado. Se quiser, pode me ajudar. Pegue esses artigos aqui, estão em alemão, valem três rublos, eu tenho o dinheiro aqui. O que me diz?

Maquinalmente, Raskólnikov recebeu os três rublos e as páginas que o amigo lhe estendia, e, sem dizer uma palavra, deu as costas e saiu. Bateu os olhos na primeira linha do artigo e então voltou-se, depositou o dinheiro e os papéis sobre uma mesa.

– Não preciso de traduções – disse e voltou-se novamente para sair.

– Então do que diabos você precisa?

Raskólnikov nada respondeu, continuou seu caminho, descendo as escadas.

CRIME E CASTIGO

– Ei! – Razumíkhin gritou do corredor para o amigo. – Onde é que você está morando?

Não houve resposta.

– O diabo que o carregue então!

Raskólnikov já tinha alcançado a rua. No caminho de volta para casa, algo bastante desagradável lhe aconteceu: levou uma chicotada de um cocheiro, pois quase foi parar debaixo das rodas da carruagem. Sentiu a raiva ferver em suas veias. Ao redor, todos riam.

– Bem feito!

– Esses bêbados!

– Pois é! Têm mesmo de levar umas chicotadas!

Encurvado de dor e raiva, Raskólnikov preparava-se para revidar, então sentiu que alguém pegava sua mão e colocava ali uma moeda. Era uma senhora com lenço na cabeça, acompanhada de uma menininha bem asseada. Haviam-no tomado por um mendigo, o que era muito compreensível, levando-se em conta sua aparência miserável e suas roupas esfarrapadas, e ficaram com pena. O rapaz abriu a mão e olhou para o dinheiro que havia recebido. Eram vinte copeques. Ele apertou a moeda e seguiu seu caminho.

Passando novamente próximo ao Rio Nievá, aproximou-se da margem. O céu estava limpo e a água do rio refletia o azul-celeste, o que era muito raro de acontecer. Raskólnikov ficou ali olhando a paisagem por um tempo. A chicotada ainda ardia em suas costas, mas, em sua cabeça, afluíam outros pensamentos. Lembrava-se dos tempos da faculdade e dos sentimentos que o tomavam toda vez que passava por ali. Agora, aquilo lhe parecia tão distante. Apertou mais uma vez a moeda na mão e então a atirou nas águas serenas do rio. Feito isso, deu as costas e foi para casa.

Já passava das seis da tarde quando finalmente entrou em seu quartinho, tremendo. Deitou-se no sofá, cobriu-se com o casaco e, no mesmo instante, adormeceu.

Acordou, assustado, com um grito horrível. Levantou-se, aproximou-se da porta e ficou ouvindo o que se passava. O grito era de mulher e parecia que alguém estava batendo nela. Ele se deu conta de que era a voz da senhoria, a senhora Zarnítsyna. Alguém estava batendo nela e a ofendendo com as mais rudes palavras. Raskólnikov conhecia aquela voz, mas de onde? Parece que ouvira aquela voz havia pouco tempo... De repente, percebeu que era a voz de Iliá Petróvitch, o oficial que conhecera naquela manhã. Era ele quem estava espancando a pobre Zarnítsyna. Mas por quê? Pé ante pé, Raskólnikov saiu do quarto, aproximou-se da escada, viu que todos os inquilinos estavam nos corredores, alguns gritavam, outros tentavam defender a pobre senhoria. Ouviu uma porta bater, Iliá Petróvitch havia ido embora. A senhoria estava aos prantos, certamente muito machucada. Os inquilinos voltaram para seus quartos, e Raskólnikov fez o mesmo.

Sem forças, caiu no sofá, mas não conseguiu mais pregar os olhos. Ficou deitado cerca de meia hora, tomado por um medo tremendo que jamais havia sentido antes. De repente, uma luz forte invadiu o quarto: Nastássia entrava com uma vela e uma bandeja com o jantar. Olhando bem para ele e certificando-se de que não estava dormindo, depositou a bandeja sobre a mesa e começou a arrumar as coisas: um prato de sopa, pão, sal e uma colher.

– Tá sem comer desde ontem! Isso não faz bem!

– Nastássia, por que é que estavam batendo na senhoria?

A empregada arregalou os olhos e olhou fixamente para ele.

– Por que o quê?

– Por que é que estavam batendo na senhoria agora há pouco... Iliá Petróvitch, o oficial, veio aqui e bateu nela, no corredor... O que houve?

Nastássia ficou calada e esquadrinhou Raskólnikov atentamente. O rapaz começou a se sentir incomodado com aquele olhar, sentiu medo até.

– Nastássia, por que é que não fala nada? – perguntou, por fim.

– Isso aí é coisa no sangue – respondeu ela, mais para si mesma.

– Sangue? Que sangue? – murmurou, empalidecendo.

A empregada continuava calada, olhando para ele.

– Ninguém veio aqui bater na senhoria – disse ela com firmeza.

Raskólnikov olhou para ela, surpreso, quase sem respirar.

– Mas eu mesmo ouvi... Estava dormindo e aí... Acordei com um grito, ouvi tudo... O oficial veio e...

– Não veio ninguém. Isso aí é o seu sangue gritando. Quando não tem por onde sair, o sangue vai todo pro fígado e a pessoa começa a ouvir coisas... Vai comer ou não vai?

Ele não respondeu nada. Nastássia continuou parada diante dele, olhando atentamente.

– Quero beber alguma coisa...

Nastássia saiu e foi buscar alguma coisa para beber. Voltou trazendo uma caneca de água, e a última coisa que Raskólnikov se lembraria depois é de ter bebido um gole e ter derramado o resto na camisa.

CAPÍTULO 9

A febre havia enfim tomado Raskólnikov por completo, deixando-o fraco e delirante. Passado o pior, ele se lembrou de muita coisa. Às vezes, parecia-lhe que havia muita gente no quarto, em volta dele, que queriam levá-lo dali; outras vezes, parecia que estava sozinho, que tinham medo dele e o deixavam em paz. Lembrava-se de Nastássia ao pé de si, e de mais alguém, alguém conhecido que não conseguia reconhecer. Algumas vezes parecia que havia se passado um mês; outras, apenas um dia. Mas a respeito *daquilo* ele se esquecera completamente. Por fim, acabou voltando a si.

Era de manhã, perto das dez horas. Àquela hora, a luz do sol invadia o quarto e iluminava tudo. Junto do sofá, estava Nastássia e mais alguém, um completo desconhecido, que o observava com vívida curiosidade. Era um rapaz barbado, de cafetã. A senhoria espiava pela porta entreaberta. Raskólnikov se ergueu.

– Quem é esse, Nastássia? – perguntou, apontando para o rapaz.

– Acordou! – disse ela!

– Acordou – repetiu o rapaz.

Vendo que ele acordara, a senhoria saiu de trás da porta e desapareceu pelo corredor. Praskóvia Pávlovna Zarnítsyna, a senhoria, era uma mulher de uns 40 anos, gorda, muito acanhada, que evitava ao máximo qualquer tipo de interação.

– Quem é o senhor? – insistiu Raskólnikov, dirigindo-se diretamente ao jovem.

Nesse instante, a porta se abriu e entrou Razumíkhin, encurvando-se um pouco, pois era muito alto, e o teto do quarto, muito baixo.

– Mas é uma cabine de navio, não um quarto! – resmungou, ao entrar. – E você, meu irmão, acordou? Acabei de ouvir da Pacha.

– Acordou agorinha mesmo – disse Nastássia.

CRIME E CASTIGO

– Agorinha mesmo – repetiu o desconhecido.

– E o senhor teria a bondade de me dizer quem é? – perguntou Razumíkhin. – Veja, eu sou Vrazumíkhin, não Razumíkhin como insistem em me chamar. Sou estudante, este aqui é meu amigo Raskólnikov. E o senhor?

– Sou da repartição financeira, vim até aqui a negócios.

– Faça o favor de se sentar – disse Razumíkhin, oferecendo uma cadeira ao representante da repartição financeira e sentando-se ele mesmo na outra cadeira. – E você, meu irmão, ainda bem que acordou – continuou, dirigindo-se a Raskólnikov. – Faz quatro dias que mal come. Trouxe duas vezes Zóssimov para vê-lo. Está lembrado do Zóssimov? Veio examinar você, disse que é uma bobagenzinha, deve ter batido a cabeça. Ele é excelente! Ah, sim, não quero atrasar o senhor – disse, voltando-se para o representante. – Não gostaria de dizer quais são seus negócios?

– Bem, essa já é a terceira vez que venho aqui.

– Ah, é mesmo?

– Sim. Venho da parte da senhora Raskólnikova, mãe do rapaz adoentado – disse ele e então dirigiu-se diretamente a Raskólnikov. – Se o senhor estiver em uso de plenas faculdades mentais, peço que assine aqui e receba os trinta e cinco rublos que a senhora sua mãe lhe envia.

– Que ótimo! – disse Razumíkhin. – E onde é que ele assina?

– Não precisa perguntar, não vou assinar – disse Raskólnikov.

– Com mil diabos! Por que não? – quis saber Razumíkhin.

– Porque... Porque não preciso de dinheiro...

– Não precisa de dinheiro! Bem, isso, meu irmão, é uma mentira deslavada! Não dê atenção, senhor, ele está delirando outra vez.

– Se está delirando, então é melhor que eu vá e volte um outro dia.

– Oh, não, não, não será necessário! Vamos, Ródia, não atrase a vida do homem, assine.

A contragosto, Raskólnikov pegou a pena que o representante lhe estendia e assinou os papéis necessários. O representante agradeceu, deixou o dinheiro sobre a mesa e foi embora.

– Bravo! – disse Razumíkhin. – E agora, quer comer alguma coisa?

– Vou...

– Tem sopa? – perguntou a Nastássia.

– De ontem – respondeu ela.

– Pode trazer. E chá também.

Raskólnikov observou a cena profundamente surpreso com a desenvoltura e familiaridade de Razumíkhin. Para quem nunca antes havia estado ali, o amigo parecia muito à vontade. Dali a dois minutos, Nastássia estava de volta não só com a sopa, mas também com vários condimentos, sal, pimenta, mostarda e um bom pedaço de carne de vaca. Até a toalha que ela colocara na mesa era nova e limpa.

– Peça a Praskóvia Pávlovna que mande também umas cervejinhas, Nastássiuchka.

– Mas que espertalhão! – resmungou Nastássia ao sair.

Tenso, Raskólnikov continuou observando tudo. Nesse meio-tempo, Razumíkhin sentou-se a seu lado no sofá e, atenciosamente, serviu-lhe um prato de sopa e o ajudou a comer. A sopa estava morna, mas mesmo assim Raskólnikov tomou com sofreguidão. Nastássia logo trouxe duas cervejas e depositou-as sobre a mesa.

– E o chá? – perguntou Razumíkhin.

– Já estou trazendo – respondeu Nastássia, saindo em seguida.

– Já faz alguns dias que eu almoço por aqui, amigo Ródia – disse Razumíkhin servindo-se de sopa e carne e comendo com apetite. – E tudo porque Páchenka, a sua senhoria, gosta muito de mim. Eu não incentivo nada, mas também não protesto. Ah, aí está o chá! – disse, ao ver a empregada entrando com o aparelho de chá – Nastássia, vai querer uma cervejinha?

– Deixe de brincadeira!

– E um chazinho?

– Um chazinho eu aceito.

Ela se sentou na cadeira vaga e, na mesma hora, Razumíkhin serviu-lhe uma xícara de chá. Em seguida, deixou de lado seu almoço para voltar a ajudar o amigo a tomar a sopa. Raskólnikov estava achando aquilo tudo muito estranho, mas não tinha forças para fazer perguntas. Começava a sentir uma pontinha de raiva de Razumíkhin, Nastássia e de toda aquela situação, mas ocorreu-lhe que seria melhor disfarçar suas emoções, por enquanto, e prestar atenção no que fariam e diriam a seguir.

– Preciso que Páchenka mande para nós uma compota de framboesa ainda hoje – disse Razumíkhin.

– E onde é que ela vai arranjar framboesa? – perguntou Nastássia, segurando a xícara de chá pela asa com o dedo mindinho levantado.

– No mercado, é claro, minha querida Nastássia. E você, Ródia – continuou, dirigindo-se ao amigo convalescente –, não sabe que trabalho eu tive para encontrá-lo! Depois que saiu lá de casa, fiquei preocupado, você estava claramente doente. Não sabia seu endereço, quebrei a cabeça pensando em como consegui-lo e então fui até o gabinete de endereços da prefeitura e encontrei o seu! Você está registrado lá.

– Registrado!

– Pois é. E quando cheguei aqui, fiquei a par de todos seus negócios. Pode perguntar para Nastássia, ela viu tudo: conheci Nikodim Fomítch, me disseram quem é Iliá Petróvitch, e também conheci o escriturário Zamiótov, Aleksandr Grigórevitch, se não me falha a memória; depois conheci também o zelador daqui e, por fim, coroando tudo isso, conheci sua senhoria, Pacha Zarnítsyna.

Nastássia soltou um risinho significativo. Razumíkhin, com certa reprovação, olhou de esguelha para ela, mas não disse nada.

– É uma senhora muito agradável – continuou ele –, mas vamos ao assunto principal: você. Como deixou que as coisas chegassem a esse ponto? Deve mesmo ter ficado maluco! E essa história de que ia se casar com a filha de Pacha? Cada uma... Mas a Pacha é bem mais inteligente do que parece, sabe?

– Sei... – respondeu Raskólnikov, só para continuar a conversa e ver onde aquilo tudo ia dar.

– Pois é! – exclamou Razumíkhin, visivelmente alegre por ter recebido uma resposta. – É bem esperta, hein! E que personalidade! É boa pessoa, sabe? Isso de querer expulsar você daqui, chamar a polícia, foi puro desespero. Veja, ela vive desses aluguéis, precisa receber e quando viu que você já não ia mais para a universidade, não dava mais aulas e ficava aqui estirado o dia inteiro, achou que ia ter prejuízo. E você foi enrolando, enrolando, dizendo que sua mãezinha ia pagar tudo e...

– É mentira! – interrompeu Raskólnikov em alto e bom som. – Minha mãe mesma está passando necessidade... Eu menti para que não me expulsassem daqui.

– É compreensível.

Ficaram alguns minutos em silêncio. Razumíkhin colocou sobre a mesa o envelope com o dinheiro recebido. Raskólnikov olhou furtivamente para o amigo e, sem dizer palavra, deitou-se no sofá e virou-se de costas. Com isso, até o pacato Razumíkhin perdeu a paciência.

– Outra vez está fazendo papel de bobo, meu irmão – disse –, vim aqui ajudar e tentar distrair você, mas parece que só levo bordoadas.

– Eu não reconheci você quando delirava? – perguntou Raskólnikov, ainda virado de costas.

– Não, e chegava até a ficar furioso quando via alguém. Ficou especialmente nervoso quando eu trouxe Zamiótov aqui.

– Zamiótov? O escriturário? Para quê? – Raskólnikov rapidamente se remexeu no sofá e pregou os olhos em Razumíkhin.

– Não precisa se alarmar tanto. Ele queria ver você, só isso. É um homem incrível, meu irmão, incrível. Ficamos até amigos e...

– Quer dizer então que eu delirei?

– E como!

– E com o quê?

– Com o quê? Ora, todo mundo sabe com o que se delira... Mas agora, meu irmão, não há tempo a perder, vamos aos negócios.

Ele se levantou e começou a procurar o boné.

– Mas com o que eu delirei?

– Que cisma! Não se preocupe, não disse nada demais. Falou de um buldogue ou coisa assim, falou de pátios, ruas, falou também de

Nikodim Fomítch e Iliá Petróvitch e só. Ah, e das meias, falava o tempo todo das meias! Chegamos até a procurá-las, encontramos, demos para você e você ficou dias inteiros com aqueles trapos agarrados nas mãos. Devem estar por aí pelos lençóis... Quis também saber de um retalho, um pedaço de calça, parece, mas isso procuramos pelo quarto e não encontramos. Mas enfim, vamos ao que interessa! Temos aqui trinta e cinco rublos, vou pegar dez e volto daqui a umas duas horinhas. Você, Nastássia, fique de olho nele... Adeus!

Razumíkhin saiu, e Nastássia retirou-se pouco depois. Mal ela saiu, Raskólnikov saltou do sofá e começou a revirar os lençóis. Ele mal podia esperar que os outros fossem embora. Logo encontrou as meias. "Será que descobriram tudo?", perguntava-se. "De que negócios Razumíkhin foi tratar? E por que o escriturário esteve aqui? Oh, Deus, o que fazer?" Meteu a mão dentro do travesseiro e encontrou ali o cadarço, a barra cortada da calça e todos os seus trapos. Estava tudo ali, tudo! Não tinham encontrado nada. Estava salvo. Mas só por um tempo...

"É preciso fugir o mais rápido possível! Mas para onde? Pego o dinheiro e fujo, alugo outro apartamento e... Não, em outro apartamento vão me encontrar. Tenho de ir para longe. Para onde? Para a América? É, para a América! Vou fugir agora mesmo, de mansinho. Ninguém vai desconfiar, estão pensando que estou tão doente que nem posso andar."

Animado, apanhou a garrafa de cerveja que ficara na mesa e serviu um generoso copo. Bebeu com gosto e um minuto depois sentiu a bebida bater, deixando-o tonto. Ele se deitou novamente no sofá e se cobriu. Os pensamentos se embaralharam mais e mais, e logo adormeceu.

Acordou com alguém entrando em seu quarto. Viu Razumíkhin parado pertinho da porta, observando como se estivesse decidindo se devia entrar ou não. Raskólnikov ergueu-se no sofá e ficou olhando para ele.

– Não está dormindo, não, Nastássia – gritou Razumíkhin –, pode trazer os pacotes!

Ele entrou no quarto, seguido de Nastássia, que carregava alguns pacotes e embrulhos.

– Que horas são? – perguntou Raskólnikov, olhando em volta.

– Já é tarde. Seis horas passadas, meu irmão.

– Meu Deus, tão tarde!

– Para que tanta preocupação? Você não vai a lugar algum, precisa descansar. Faz bem umas três horas que estou aqui esperando... Fui duas vezes à casa de Zóssimov, o médico, e não o encontrei, mas não há de ser nada. Bem, como se sente?

– Estou bem, não estou doente! – disse Raskólnikov, exasperado. – Escute, você está aqui faz tempo?

– Falei que faz umas três horas.

– Não, antes.

– Antes do quê?

– Desde que horas está por aqui?

– Mas já não contei tudo para você? Não está lembrado?

Raskólnikov ficou pensativo. Tudo que havia se passado parecia um sonho estranho e confuso. Não era capaz de lembrar-se de tudo e olhou interrogativamente para Razumíkhin.

– É, não lembra... – concluiu o estudante – Esqueço que você ainda não está completamente curado. Mas já está com uma cara bem melhor! Muito melhor! Veja o que lhe trouxe!

Ele começou a desfazer o embrulho, que o interessava enormemente.

– Veja, o que acha desse boné? É bonzinho, não? – disse Razumíkhin. – Experimente.

– Agora não, depois... – resmungou Raskólnikov.

– Depois não serve, tem de ser agora – disse Razumíkhin, colocando o boné na cabeça de Raskólnikov. – Muito bem! Ficou ótimo!

Razumíkhin foi tirando dos embrulhos outras peças. Havia comprado uma camisa, um par de calças, um casaco leve e até roupa de baixo e um par de botinas novas. Dizia que era preciso estar bem-vestido, estar apresentável para começar uma carreira, tomar um rumo na vida. As roupas eram de segunda mão, é claro, mas estavam em muito bom estado e limpas. O rapaz visivelmente estava muito satisfeito com os achados e gabava-se para Nastássia dos ótimos preços. Disse ainda que já se arranjou com Praskóvia Pávlovna, dando sua palavra de que Raskólnikov pagaria o aluguel assim que fosse possível.

– Mas com que dinheiro você arranjou tudo isso?

– Com que dinheiro? Ora, com o seu! O dinheiro que sua mãe mandou, não lembra?

– Lembro...

– Agora vamos trocar essa roupa, você está doente e precisa usar roupas limpas.

– Não, não quero.

Razumíkhin ignorou o amigo e, com a ajuda de Nastássia, fez com que ele tirasse a roupa suja de dias e colocasse a roupa de baixo limpa que trouxera. Contrariado, Raskólnikov deixou a cabeça cair no encosto do sofá e ficou olhando para o teto. "Por que não me deixam em paz?", pensava. Antes que tivesse a chance de dizer alguma grosseria a Razumíkhin, a porta se abriu, e um homem alto e corpulento entrou, como se já fosse de casa.

– Zóssimov! Finalmente! – gritou Razumíkhin alegremente.

CAPÍTULO 10

Zóssimov era um homem grande, alto e gordo, com o rosto pálido e redondo, cabelos claros e lisos, de óculos e cheio de anéis brilhantes nos dedos. Tinha por volta de 27 anos. Vestia um sobretudo comprido e janota, calças claras de verão. Seus gestos eram lentos e indolentes.

– Até que enfim! – disse Razumíkhin – Fui duas vezes a sua casa!

– Sim, sim, eu fiquei sabendo – respondeu Zóssimov e continuou, dirigindo-se a Raskólnikov –, e como estamos nos sentindo hoje? Bem melhor, pelo que vejo.

– Está bem, sim, mas cheio de manha – continuou Razumíkhin. – Imagine que não queria trocar de roupa.

– É muito importante o doente ter sempre as roupas limpas – observou Zóssimov, aproximando-se de Raskólnikov para tomar seu pulso. – O pulso está excelente! Sente dor de cabeça?

– Estou bem, estou ótimo! – respondeu Raskólnikov, irritado. Por que é que não podiam simplesmente deixá-lo em paz?

Zóssimov e Razumíkhin entabularam uma longa conversa a respeito de Raskólnikov, praticamente ignorando sua presença ali. O que estava comendo, se tivera febre ou delirara novamente, e tudo o mais. O médico disse que podia comer de tudo, menos cogumelo e pepino, e era bom evitar carne bovina também. Razumíkhin fazia planos, dizia que iam passear no dia seguinte, seria bom para Raskólnikov. Depois foram mudando de assunto, o médico quis saber de um tio de Razumíkhin, de uma reunião que, parece, seria naquela noite. O estudante deu os detalhes todos. Em seguida, passaram a falar das últimas notícias.

– Ah, sim! E não contei as novidades do caso, contei? Do assassinato da velha usurária da Rua K*? – disse Razumíkhin.

Ao ouvir isso, Raskólnikov, que caíra em seu torpor habitual dos últimos tempos, virou-se no sofá, ficando de costas para os visitantes.

CRIME E CASTIGO

– Do caso em si você falou – disse Zóssimov –, mas não entrou em detalhes.

– É uma coisa horrorosa! – intrometeu-se Nastássia. – Mataram também a irmã dela, a Lizaveta.

– Lizaveta? – perguntou Zóssimov.

– Sim, uma que revendia e consertava roupas, sabe? Ela vinha sempre aqui, até remendou umas camisas desse aí – respondeu Nastássia, indicando Raskólnikov com a cabeça.

– Agora também um pintor de parede foi indiciado entre os suspeitos – continuou Razumíkhin, sem dar muita atenção à interrupção de Nastássia.

– Pintor? Mas há provas? – quis saber Zóssimov.

– Que nada, prova alguma! Estão só prendendo gente ao acaso, como fizeram com aqueles dois... Como se chamam? Kokh e não sei quem. Está sabendo desse caso, não está, Ródia? Foi antes de você ficar doente – perguntou Razumíkhin, virando-se para Raskólnikov. Este permaneceu de costas e nada respondeu.

– Conte tudo que sabe, Razumíkhin, estou curioso – disse Zóssimov.

– Pois bem! Veja que história: três dias depois do assassinato, apareceu na delegacia um camponês chamado Dúchkin, dono de um botequim que fica em frente à casa da velha, com um par de brincos de ouro em um estojinho. Ele contou que, três dias antes, tinha recebido o estojo como penhor de um pintor de parede, um tal de Mikolka, que estava trabalhando no prédio. Chegou ao botequim pedindo dois rublos pelos brincos e disse que tinha achado tudo caído na rua. Dúchkin deu um rublo e Mikolka se escafedeu. O dono do botequim, achando tudo muito estranho, decidiu que seria melhor guardar o estojo com os brincos e ver se aparecia alguma notícia sobre isso. Quando soube do assassinato da velha, tratou de levar tudo à delegacia.

Ainda virado de costas para os visitantes e olhando fixamente para o estofado, Raskólnikov, tenso, continuava ouvindo atentamente tudo que Razumíkhin dizia.

– Parece que foram atrás desse tal Mikolka, mas ele já tinha sumido – continuou Razumíkhin. – Ou fugido, pelo que concluíram. Foram achá-lo uns dias depois, em uma estalagem. Levaram para a delegacia e ele contou a mesma história: tinha achado os brincos na rua e vendido para Dúchkin para poder farrear. Ficou uns dias na farra e teve medo quando ouviu falar do assassinato da velha, por isso fugiu.

– Mas isso não prova nada – disse Zóssimov.

– Não, não prova, pode ser verdade, mas pode ser mentira – concordou Razumíkhin. – Só que depois ele contou outra versão. Disse que discutiu com o colega pintor, Mitka ou algo do tipo, porque ele lambuzou seu rosto de tinta, os dois saíram correndo, brigando, chegaram até a rua, mas Mitka acabou fugindo e Mikolka voltou para o apartamento para arrumar as tintas e essas coisas. Foi aí que encontrou o estojinho com os brincos, estava atrás da porta.

– Atrás da porta?! – exclamou Raskólnikov, virando-se rapidamente e sentando-se hirto no sofá.

– É, atrás da porta... O que há com você? – perguntou Razumíkhin, em tom preocupado.

– Nada... – disse Raskólnikov, baixinho, deitando-se outra vez.

– Acho que estava meio dormindo, meio acordado – arriscou Razumíkhin, olhando para Zóssimov e para Nastássia, que parecia um tanto assustada. – Deve ter misturado a conversa com alguma coisa que estava sonhando.

– Sim, sim, deve ser – concordou Zóssimov. – Prossiga.

– Bem, o que mais? Agora uns consideram Mikolka culpado, mas faltam provas concretas. Ninguém viu uma alma viva saindo do apartamento da velha, Kokh diz que havia alguém no apartamento quando esteve lá, porque a porta estava fechada com o trinco. Depois, quando voltou com o zelador, a porta estava completamente aberta, e a velha e a irmã, mortas.

– Mas como sabe de tudo isso? – quis saber Zóssimov. – Está sempre muito bem informado, meu amigo.

– É por meio de Porfiri Petróvitch, o juiz de instrução. É amigo de meu tio, na casa de quem estou morando.

Dito isso, Razumíkhin e Zóssimov passaram a discutir os detalhes do crime e dar suas interpretações dos fatos. Nastássia ouvia atentamente, fazendo comentários de tempos em tempos. Raskólnikov continuava deitado, perdido em seus pensamentos, cada vez mais agoniado. Outra vez virou-se de costas e ficou olhando para o estofado do sofá. O estojinho com os brincos caíra atrás da porta? O que mais teria caído pelo caminho? Quanto tempo até encontrarem alguma coisa que o ligaria ao assassinato? Razumíkhin achava que faltavam muitas pistas ainda, Zóssimov achava que era um crime muito bem executado, Nastássia achava tudo um horror, embora estivesse visivelmente interessada em cada mínimo detalhe. A conversa foi interrompida quando a porta se abriu e entrou um homem completamente desconhecido por todos.

CAPÍTULO 11

Era um homem já entrado em anos, grave e de boa aparência, com uma fisionomia desconfiada. Escrutinando o quarto, parecia se perguntar como era possível que tivesse chegado a um lugar como aquele. Seu olhar pousou primeiro em Raskólnikov, que jazia no sofá sujo de sempre, descabelado, quase despido, depois em Razumíkhin, que lhe devolveu um olhar sério e desafiador, e por fim em Zóssimov. Parecia não ter notado a presença de Nastássia no cômodo, embora ela tivesse se levantado assim que ele entrara. O recém-chegado ficou ainda um tempo em silêncio, olhando ao redor até que, por fim, disse:

– O senhor Rodion Románovitch Raskólnikov está?

– É este aqui, no sofá – respondeu Zóssimov. – E o que o senhor deseja?

A familiaridade do jovem médico visivelmente deixou o recém-chegado bastante surpreso. Ignorando a presença de Razumíkhin, olhou para Raskólnikov, que permanecera ali deitado, sem dizer uma palavra, e abriu a boca como se fosse dizer algo. Não disse nada, mas pegou um grande relógio em seu bolso, olhou as horas e o guardou em seguida. Passou-se um minuto em completo silêncio. Então Raskólnikov sentou-se e disse:

– Sim, Raskólnikov sou eu. E o senhor, o que quer?

O recém-chegado olhou para ele e disse, cheio de importância:

– Sou Piotr Petróvitch Lújin. Quero crer que o senhor já ouviu falar de mim.

Raskólnikov, que esperava que fosse alguém completamente diferente, alguém da polícia, ficou olhando tolamente para o recém-chegado, sem responder nada, como se nunca na vida tivesse ouvido falar de nenhum Lújin.

– Como! Não é possível que não tenha recebido nenhuma notícia!

CRIME E CASTIGO

Indiferente, Raskólnikov virou-se no sofá, deitou-se de barriga para cima, jogou os braços para trás da cabeça e ficou olhando para o teto. O rosto de Lújin se contraiu, expressando todo seu aborrecimento. Razumíkhin, Nastássia e Zóssimov observavam a cena, curiosos.

– Tinha a esperança de que uma carta remetida há mais de dez dias já tivesse chegado até o senhor.

– Mas por que está aí parado na porta, afinal? – disse Razumíkhin. – Venha, entre e sente-se. Nastássia, dê um cantinho ao senhor Lújin.

Nastássia, que ficara de pé aquele tempo todo, deu um passo para que Lújin pudesse entrar no quarto, mas este era tão pequeno que seria impossível acomodar ali cinco pessoas de forma minimamente confortável. Razumíkhin sentou-se na ponta do sofá e Lújin, visivelmente contrariado, sentou-se na cadeira perto da mesa.

– Não leve a mal – continuou Razumíkhin –, Ródia está doente faz cinco dias, chegou até a delirar de febre.

– Sim, claro – disse Lújin e acrescentou, dirigindo-se a Zóssimov. – E não lhe fará mal uma conversa?

– Não, não, de maneira alguma – respondeu o médico, bocejando em seguida.

– Bem, a sua mãe, Rodion Románovitch... – começou Lújin.

– Hum! – fez Razumíkhin, muito mais alto do que pretendia, fazendo com que o recém-chegado senhor olhasse para ele com ar interrogativo. – Mil perdões, prossiga, por favor.

Lújin deu de ombros, suspirou e prosseguiu:

– Sua mãe enviou-lhe uma carta, pelo que sei. Quando cheguei a Petersburgo, fiquei uns dias ajeitando algumas coisas, resolvendo negócios particulares, por isso não pude vir vê-lo antes. Por conta disso, tinha já a firme certeza de que o senhor estaria bem informado a meu respeito, mas a sua surpresa ao me ver mostra que...

– Já sei, já sei! – disse Raskólnikov, com enfado. – O senhor é o noivo. Já sei de tudo.

Piotr Petróvitch ficou tremendamente ofendido com o tom de Raskólnikov, mas permaneceu em silêncio. Afinal, o que significava tudo aquilo?

Enquanto estiveram em silêncio, Raskólnikov aproveitou para analisar melhor o tal noivo. Era evidente que ele estava na capital já fazia algum tempo e que se vestia com todo esmero e cuidado, à espera da noivinha que chegaria do interior. O rosto parecia mais jovem do que realmente era, mas em seus cabelos e suíças, ainda que muito bem cuidados e arranjados, despontava já um tom grisalho que anunciava que ele já passara dos 40. Apesar da boa aparência, passava uma impressão extremamente desagradável a Raskólnikov. Depois de muito observar o futuro "cunhado", o jovem não pôde deixar de sorrir maldosamente.

Por fim, Lújin rompeu o silêncio:

– Lamento muito encontrá-lo em tal situação. Se soubesse que não estava bem, teria vindo antes. Mas o senhor sabe como são os negócios! Tenho aqui um escritório de advocacia, muitas coisas a resolver. Bem, de toda forma, espero impacientemente por sua mãe e sua irmã que...

Raskólnikov abriu a boca como se fosse dizer algo. Lújin parou de falar, mas, vendo que o rapaz não dizia nada, continuou:

– Espero por sua mãe e sua irmã, que devem chegar logo. Ajeitei um apartamento para elas.

– Onde?

– Não muito longe daqui. Edifício Bakaléiev.

– É perto daqui mesmo – concordou Razumíkhin, acrescentando em seguida: – Um lugar muitíssimo malcuidado. Mas bem barato, é claro.

– Não tive tempo – começou Lújin, tentando conter, sem sucesso, o tom ofendido em sua voz –, infelizmente, de verificar todos os detalhes da moradia, mas posso afirmar que o edifício em questão me foi muito bem indicado. Sei que há quartos muito bem limpos e arejados, embora seja, de fato, um lugar simples. Foi indicação de um grande amigo meu, o senhor Lebeziátnikov.

– Lebeziátnikov? – repetiu Raskólnikov, levemente surpreso.

– Sim, o senhor o conhece?

– Não.

Estabeleceu-se mais um longo período de silêncio incômodo. Lújin mexeu-se na cadeira e se preparou para ir embora.

CRIME E CASTIGO

– Bem, vim apenas para conhecer o senhor, agora preciso ir. Estimo as melhoras.

Raskólnikov permaneceu deitado como estava. Lújin se despediu brevemente dos demais. Antes que ele saísse, Zóssimov retomou o assunto do assassinato:

– Com certeza foi um dos clientes quem a matou.

– Com toda a certeza – concordou Razumíkhin.

– Parece-me que estão falando do assassinato da velha usurária, viúva de um funcionário público, não? – intrometeu-se Lújin, parado junto à porta.

– Precisamente – respondeu Zóssimov. – Está sabendo?

– Sim, parece que foi aqui pela vizinhança.

– E sabe dos detalhes?

– Não sei muita coisa, mas me interessa a questão como um todo, quero dizer, a questão da criminalidade – começou Lújin, tomando ares de entendido. – Não me refiro apenas ao aumento dos crimes praticados pelas pessoas de classes mais baixas, pilhagens, incêndios, essas coisas, mas aos crimes praticados pelas pessoas da alta sociedade. Ouviram falar do caso de falsificação de dinheiro em Moscou, não? Pois então, se quem é pobre rouba ou comete um crime qualquer para conseguir dinheiro e comprar seu pão, o que, aliás, é até compreensível, o que levaria alguém rico a fazer algo assim? No caso da velha, é evidente que quem a matou foi alguém de recursos, já que um camponês não tem posses para penhorar, muito menos joias, relógios, objetos de ouro. O que estaria causando esse desmantelamento da nossa sociedade? Fazem qualquer coisa por dinheiro.

– A economia tem mudado muito... – sugeriu Zóssimov.

– Sim, é certo – disse Razumíkhin, e acrescentou: – Vocês ouviram o que respondeu um dos envolvidos no caso de falsificação de dinheiro em Moscou? Ele disse: "Todos estavam enriquecendo de tantas maneiras diferentes que eu quis também enriquecer". Não me lembro das palavras exatas, mas, em síntese, foi isso que disse. Ora, o que se pode concluir? As pessoas querem enriquecer mais e mais sem esforço, sem trabalho.

– E onde fica a ética nisso tudo? E as leis? – quis saber Lújin.

– Mas o que tanto preocupa o senhor? – intrometeu-se Raskólnikov. – Está tudo de acordo com sua teoria!

– Minha teoria? Que teoria?

– "Fazem qualquer coisa por dinheiro." Daí conclui-se que se pode até matar por dinheiro.

– Faça-me o favor! – exclamou Lújin, em choque.

– Não é nada disso! – secundou Zóssimov.

Raskólnikov estava sentado no sofá, extremamente pálido, olhando fixamente para Lújin.

– Para tudo há um limite – começou Lújin, tentando controlar sua irritação. – Veja, se uma pessoa...

– Para tudo há um limite! – arremedou Raskólnikov. – Limites! Não é verdade, senhor Lújin... – e então sua voz começou a tremer de raiva –, não é verdade que o senhor disse à sua noiva... Disse à minha irmã... Disse que estava feliz em ter encontrado uma moça como ela... Uma moça pobre, na miséria praticamente, pois assim seria mais fácil... Seria mais fácil controlar uma esposa que se tira da pobreza, não foi assim, senhor Lújin?

– Meu senhor! – exclamou Lújin, tomado de fúria. – Meu senhor! Isso é uma distorção sem tamanho! Uma deformação completa! Eu... Peço desculpas, mas devo lhe dizer, meu caro, que os boatos que corriam em sua cidade natal... – ele estava tão enfurecido que parecia não saber o que dizer. – Bem, em uma palavra... Está claro que sua mãe... Ela realmente me pareceu um tanto... Romântica e predisposta a esse tipo de coisa... Devo dizer que sua mãe não interpretou de maneira nenhuma as minhas palavras da forma correta... Ela...

– Sabe o que mais? – gritou Raskólnikov.

– O quê?

– Se o senhor ousar mais uma vez falar uma única palavra sobre minha mãe, eu... Eu o empurrarei da escada!

– Mas o que há com você? – exclamou Razumíkhin.

– Fique sabendo, meu caro – respondeu Lújin, empalidecendo de raiva –, fique sabendo que eu, desde o momento que coloquei os pés aqui, percebi a sua má vontade para comigo, mas fiquei aqui mesmo assim. Poderia ignorar muita coisa, levando em consideração que somos parentes e que o senhor está doente, mas agora...

– Eu não estou doente! – gritou Raskólnikov.

– Pois então...

– Vá para o inferno!

Mas Lújin não respondeu nada e foi embora, sem se despedir nem ao menos lançar um último olhar aos ali presentes. Ficou mais do que claro que estava terrivelmente ofendido.

– Precisava de tudo isso? – disse Razumíkhin, perplexo.

– Quero ficar sozinho! Me deixem em paz! – gritava Raskólnikov. – Não tenho medo de vocês! Não tenho! Sumam daqui!

– Vamos! – disse Zóssimov.

– Tenha dó, não podemos deixá-lo nesse estado.

– Vamos embora – repetiu Zóssimov, saindo do quarto. Razumíkhin pensou por um minuto e saiu atrás dele.

Assim que os dois saíram, Raskólnikov olhou com impaciência e raiva para Nastássia, que ficara ali parada, perto da porta.

– Vai querer chá? – perguntou ela.

– Agora não, depois. Quero dormir.

Virou-se de costas para Nastássia. Balançando a cabeça negativamente, a empregada saiu.

CAPÍTULO 12

Assim que ela saiu, Raskólnikov levantou, trancou a porta, pegou as roupas novas que Razumíkhin trouxera e começou a se vestir. Que coisa estranha: parecia que tinha se acalmado em um piscar de olhos. Completamente vestido, olhou pela primeira vez para o dinheiro que tinha recebido. Havia sobrado vinte e cinco rublos completos, fora os copeques de troco das roupas que Razumíkhin trouxera. Guardou o dinheiro no bolso, destrancou a porta cuidadosamente, esgueirou-se pelo corredor, desceu as escadas e em um instante estava na rua.

Eram oito horas. O tempo continuava horrivelmente quente; apesar disso, Raskólnikov aspirou com prazer aquele ar seco e poeirento da cidade. Sua cabeça começou a girar um pouco; no entanto, não se incomodou. "Preciso pôr um fim nisso tudo e ainda hoje", pensava ele, caminhando a esmo, como sempre, pelas ruas de Petersburgo. Mas como? Isso ele não tinha a menor ideia. Só sabia que era preciso colocar um ponto final em tudo o mais depressa possível.

Por costume, seguia o caminho pelos mesmos lugares, às vezes esbarrando com algumas pessoas. As ruas estavam mais cheias ou assim lhe parecia. Havia cantores, realejos, pessoas que conversavam e riam. Ele atravessou a Praça Sennaia, como tantas vezes fizera. Havia moças caminhando por ali, e Raskólnikov teve a impressão de ter ouvido uma delas chamá-lo, mas não deu atenção. Imerso em seus pensamentos, seguia seu caminho, até chegar a uma rua mais movimentada de carruagens, onde, ao que parecia, havia acabado de acontecer um acidente.

Uma grande carruagem senhoril estava parada no meio da rua, rodeada por um grupo de pessoas. O cocheiro estava ao lado, segurando os possantes cavalos pelas rédeas. Havia também alguns policiais no local, que iluminavam a cena com uma lanterna.

Raskólnikov abriu caminho na multidão e acabou vendo a cena completa: um homem fora atropelado e jazia ali, ensanguentado, quase inconsciente. O cocheiro argumentava com os policiais, dizendo que gritara, chamando a atenção do homem, mas ele simplesmente continuou caminhando. Estava bêbado, é claro. As pessoas em volta comentavam, algumas tinham pena, outras nem tanto, diziam que assim eram os bêbados. Ao chegar mais perto, Raskólnikov se deu conta de que conhecia o atropelado.

– Eu o conheço! Eu sei quem é! – disse. – É Marmeládov! Ele mora aqui perto! Chamem um médico, depressa!

Os policiais ficaram muito satisfeitos que alguém tivesse reconhecido o acidentado, isso poupava muito trabalho. Raskólnikov deu seu nome e o endereço de Marmeládov, e guiou os policiais até lá, não medindo esforços para ajudar, como se estivesse salvando seu próprio pai. Enfim, chegaram ao edifício e começaram a subir as escadas.

Katerina Ivánovna, como sempre, tão logo tivera um minuto de sossego, pusera-se a caminhar pelo quarto, ruminando sua sorte, murmurando consigo mesma e tossindo de tempos em tempos. Enquanto isso, sua filha mais velha, Pólia, de 10 anos, que parecia ter aprendido do que a mãe precisava nesses momentos, cuidava dos irmãos, ajeitando- -os para dormir. Kólia, o filho do meio, observava atentamente a mãe caminhar pelo quarto, ao mesmo tempo que a irmã trocava sua roupa esfarrapada por um pijama ainda mais esfarrapado. Lida, a caçula, sentada em um banquinho, aguardava sua vez. A porta do corredor estava aberta, mas Katerina Ivánovna pareceu só se dar conta disso quando o quarto foi invadido por Raskólnikov e os policiais que traziam Marmeládov.

– Mas o que é isso? Quem é que estão trazendo? – começou ela. – Deus do céu!

– Onde podemos colocá-lo? – perguntou um policial.

– Aqui no sofá – disse Raskólnikov. – Isso, virado para cá.

– Foi atropelado! – gritou alguém do corredor.

– Estava bêbado! – completou outro.

A pobre Katerina Ivánovna estava pálida e mal podia respirar. As crianças, assustadas, encolheram-se em um canto do quarto, as mais novas abraçando Pólia, que tentava acalmá-las.

Fiódor Dostoiévski

– Pelo amor de Deus, acalme-se! Não tenha medo! – dizia Raskólnikov. – Ele estava atravessando a rua e foi atropelado, mas não se preocupe, vai ficar tudo bem... O médico está vindo...

– Achou o que procurava! – gritou Katerina Ivánovna, lançando-se sobre o marido.

Raskólnikov logo percebeu que ela não era uma daquelas mulheres que desmaiavam facilmente. Em um instante, a esposa de Marmeládov arranjou uma almofada sabe-se lá de onde e ajeitou a cabeça do marido. Feito isso, ficou a seu lado, cuidando dele, mordendo os lábios trêmulos para não gritar.

– Mandei chamar o médico, já está chegando – afirmou Raskólnikov. – Não se preocupe, vou pagar. Não tem água? E uma toalha, não sabemos onde ele está ferido... Está só ferido, não está morto, acalme-se...

Katerina Ivánovna se levantou e foi até a janela, onde havia uma bacia com água. Era ali que ela, com as próprias mãos, lavava todas as noites as roupas dos filhos e do marido, de madrugada, para que de manhã estivesse tudo limpo e seco. Com esforço, trouxe a bacia até perto do sofá, enquanto Raskólnikov arranjava uma toalha. Molhando a toalha na bacia, Katerina Ivánovna começou a limpar o sangue do rosto do marido.

– Pólia! – chamou ela. – Vá correndo chamar Sônia. Se ela não estiver em casa, avise que o pai foi atropelado e... Diga que venha o mais depressa possível.

– Vá rápido como o vento, Pólia! – gritou, inesperadamente, o pequeno Kólia, enquanto a irmã atravessava o quarto rumo às escadas.

Nesse meio-tempo, o quarto se enchera de gente. Não havia onde cair um alfinete. Os policiais haviam partido, porém muitos curiosos continuavam ali, além dos vizinhos. Até Amália Lippevechzel, a senhoria alemã, estava na porta, e seus convidados haviam invadido o quarto da família Marmeládov. Katerina Ivánovna estava cada vez mais agitada e irritada.

– Deixem pelo menos que ele morra em paz! – gritava ela – Que espetáculo foram achar! Estão até fumando! Nem tiraram os chapéus! Vão embora!

CRIME E CASTIGO

Ela foi tomada por um acesso de tosse, que pareceu assustar todos os presentes. Muitos começaram a sair, acotovelando-se. Mesmo assim, outros tantos ficaram no corredor, espiando pela porta aberta o que se passava no quarto. Os convidados da senhoria voltaram para seu apartamento, mas a senhora alemã começou a discutir, em russo estropiado, com Katerina Ivánovna. Ela não queria que Marmeládov morresse ali, tinham de levá-lo para os "ôspital". Katerina Ivánovna ficou enfurecida. Tentando conter os acessos de tosse, discutia ferozmente com a senhora Lippevechzel, dizendo que era uma dama instruída, educada nas melhores escolas, filha de um oficial, e que uma senhoria reles não podia falar com ela daquela maneira, não mesmo.

Enquanto discutiam, Marmeládov começou a gemer. Katerina Ivánovna abandonou no ato a discussão e caiu de joelhos ao lado do marido. Ela o observou com olhos tristes, mas decididos a não chorar. Ele a reconheceu e balbuciou:

– Um... padre...

Katerina Ivánovna se levantou e foi até a janela, gemendo:

– Vida três vezes maldita!

– Padre...

– Já foram chamar! – respondeu agitada.

Nesse mesmo instante, entrou o médico. Era um senhor alemão muito asseado e experiente que assim que viu o acidentado compreendeu que não havia esperança. Mesmo assim tomou o pulso de Marmeládov e rasgou sua camisa para avaliar os danos do atropelamento. O peito estava completamente pisoteado e coberto de sangue. Do lado esquerdo, bem onde ficava o coração, havia uma marca profunda de ferradura. Pelo que o policial havia dito, o infeliz ficara preso em uma das rodas e fora arrastado cerca de trinta passos pelo caminho antes de o cocheiro conseguir parar a carruagem.

– É surpreendente que ainda esteja vivo – disse o médico.

– O quê? – perguntou Raskólnikov.

– Vai morrer logo mais.

– Não há nada que possamos fazer?

FIÓDOR DOSTOIÉVSKI

– Nada.

O padre chegou em seguida, acompanhado de um dos policiais que socorrera Marmeládov. Todos que estavam no corredor, enfim, recuaram um pouco. Na mesma hora, o médico cedeu seu lugar ao lado do moribundo e trocou com o sacerdote um olhar significativo. Raskólnikov pediu ao médico que esperasse mais alguns minutos, ele deu de ombros e ficou ali por perto. A confissão e as preces não duraram muito. Enquanto o padre tratava de Marmeládov, Katerina Ivánovna pegou as crianças e se ajoelhou com elas em um canto para rezar.

A pequena Pólia chegou correndo pouco depois. Tinha se encontrado com a irmã no meio do caminho, ainda na rua. A mãe a abraçou com força e a levou assim abraçada para o canto junto dos irmãos. Dali a pouco, a filha de Marmeládov entrou no quarto, abrindo espaço com timidez e certa dificuldade entre as pessoas aglomeradas no corredor.

Era um tanto estranho ver aquela jovem ali naquele quarto em meio a pobreza, desespero e morte. Não é que estivesse bem-vestida, usava um vestido berrante de segunda mão, bem ao estilo das ruas de Petersburgo, um vestido que deixava vergonhosamente clara sua profissão. Um grande chapéu enfeitado com uma pluma, sapatos coloridos e uma sombrinha, que por algum motivo trazia consigo mesmo à noite, completavam a indumentária. Sônia parou no limiar da porta, como se não tivesse coragem de entrar ali. Era uma moça miúda, de uns 18 anos. Tinha um rosto pálido e magro, cabelos louros e belos olhos azuis. Estava ofegante da corrida. Afastou-se da porta, mas manteve certa distância do padre e do sofá, onde jazia o pai. Lá fora, ouvia-se um burburinho crescente desde que Sônia havia chegado.

A confissão e a penitência terminaram. Katerina Ivánovna aproximou-se outra vez do marido. O padre quis reconfortá-la.

– Como vou criar essas crianças? – perguntou um tanto ríspida, apontando os filhos.

– Deus é misericordioso – disse o padre.

– Misericordioso! Pois sim!

– Não fale assim. É pecado, minha senhora.

CRIME E CASTIGO

– Pecado!

Katerina Ivánovna quis dizer ainda mais alguma coisa, mas não pôde. Um novo acesso de tosse tomou conta de seu peito. O padre a olhou com pena, balançando a cabeça, e não disse mais nada.

Marmeládov estava nos últimos momentos e não tirava os olhos de Katerina Ivánovna. Parecia que queria dizer-lhe algo, mas, evidentemente, não tinha forças. Como se adivinhasse o que ele queria dizer, a esposa mandava que ficasse quieto. O olhar agonizante do homem começou a vagar pelo quarto e pousou em Sônia, que ele não reconheceu.

– Quem...?

Ignorando os rogos de Katerina Ivánovna, tentou se virar, erguer-se. Olhou obstinadamente para a filha por algum tempo. De repente, ele a reconheceu, e um sofrimento infinito estampou-se em seu rosto.

– Sônia! – gritou, e mais uma vez quis se erguer, estender os braços para ela, mas, sem forças, acabou caindo do sofá com um baque surdo.

Apressaram-se em colocá-lo de novo no sofá. Sônia deu um grito fraco e correu até o pai, abraçando-o. Agonizando, Marmeládov teve tempo de sussurrar ainda, com esforço: "Me perdoe...". Morreu nos braços da filha.

– Achou seu fim! – gritou Katerina Ivánovna, vendo o cadáver do marido. – O que vamos fazer? Como vou enterrá-lo? O que vamos comer amanhã?

Raskólnikov aproximou-se dela.

– Katerina Ivánovna – começou ele –, na semana passada, seu falecido marido me contou toda a história de sua vida... Tenha a certeza de que ele falou da senhora com o mais absoluto respeito e admiração. Desde aquela noite, eu soube como ele a amava e respeitava, apesar de toda fraqueza que o dominava... Desde aquela noite, nós nos tornamos amigos. Permita-me então, Katerina Ivánovna, que eu ajude... Aqui tenho vinte rublos, que poderão lhe ajudar. Agora, adeus!

Saiu rapidamente dali, atravessando a multidão. Um acaso fez com que Raskólnikov topasse com Nikodim Fomítch que, tendo ouvido

FIÓDOR DOSTOIÉVSKI

falar do acidente, decidira intervir pessoalmente. Só haviam se visto uma única vez, na delegacia, mas o inspetor logo o reconheceu.

– Ah, é o senhor?

– Ele morreu – respondeu Raskólnikov. – Vieram o médico e o padre, mas não puderam fazer nada. A mulher fica sozinha com as crianças e é tísica...

– Mas por que é que o senhor está assim todo sujo de sangue?

– É mesmo, veja só... Estou todo sujo de sangue...

Raskólnikov seguiu seu caminho, descendo as escadas calmamente. Por alguma razão, sentia-se pleno de um novo sentimento, algo que nunca havia experimentado antes. Sentia toda a força e potência da vida. Não sabia dizer por que se sentia assim. Tomado por essa sensação, desceu as escadas, chegou ao pátio e quase não percebeu quando uma vozinha fraca o chamou:

– Espere! Espere!

Era Pólia, a filha mais velha de Katerina Ivánovna. Raskólnikov se virou e viu a garotinha descendo as escadas correndo. Assim que o alcançou, ela parou para tomar fôlego. O rapaz abaixou-se para conversar melhor com a menina. Parecia que tinham lhe dado a incumbência de alcançá-lo e ela, apesar de tudo, se mostrava muito orgulhosa de ter sido escolhida para tal tarefa.

– Como o senhor se chama? E onde mora?

– E quem mandou você atrás de mim? – perguntou Raskólnikov suavemente. A menina lhe trazia uma sensação boa.

– Foi minha irmã Sônia – respondeu Pólia, sorrindo.

– Eu bem sabia que tinha sido sua irmã Sônia.

– Minha mãezinha também mandou que eu viesse, ela disse "corra, Pólienka, corra!".

– Você gosta da sua irmã Sônia?

– É dela que eu gosto mais!

– E vai gostar de mim também?

Ele recebeu como resposta um beijo na bochecha. A menina então caiu em seus ombros, abraçando-o com força e chorando baixinho.

CRIME E CASTIGO

– Tenho tanta pena do papai! – disse ela, depois de um minuto.

– Já sabe rezar, Pólia?

– Já sei, sim! E faz tempo! Eu, Kólia e Lida sempre rezamos juntos.

– Eu me chamo Rodion. Promete que vai rezar por mim?

– Prometo, vou rezar toda minha vida pelo senhor.

Raskólnikov então deu seu nome completo e endereço, prometendo que no dia seguinte viria sem falta. A menina voltou correndo, absolutamente satisfeita. Eram por volta de onze horas quando ele saiu na rua.

– Basta! – pronunciou para si mesmo, decidido. – Chega de miragens, distrações... Chega! Existe vida. Não estou vivo? Minha vida não se foi com a morte da velha. Deus a tenha em bom lugar. E eu... Eu sigo vivendo. Sim, senhor, vamos seguir a vida, chega de doenças, distrações...

Com tais pensamentos em mente, Raskólnikov seguiu, plácido, seu caminho até em casa. Já bem perto do edifício onde morava, encontrou Razumíkhin que, aflito, andava à sua procura.

– Por onde andou?! – exclamou – Estou à sua procura faz horas! Ainda está doente! O que lhe deu na cabeça?

– Estive na casa de um funcionário... Ele morreu.

– O quê?

Os dois entraram no edifício e começaram a subir as escadas. Raskólnikov contou em poucas palavras o que havia se passado. Surpreso, mas bastante aliviado, Razumíkhin ouvia com certa desconfiança. Ao chegarem ao último lance, notaram que o quarto de Raskólnikov estava aberto e havia uma luz acesa.

– Deve ser Nastássia – sugeriu Razumíkhin.

– Ela nunca vai ao meu quarto uma hora dessas. Bem, pouco importa! Adeus!

– Adeus? Não, vou entrar com você.

A contragosto, Raskólnikov aceitou a companhia do amigo. Os dois avançaram pelo corredor e abriram a porta.

Ali, sentadas no sofá, à espera de Raskólnikov, estavam sua mãe e sua irmã.

Fiódor Dostoiévski

Fazia uma hora e meia que Pulkhéria Aleksándrovna e Avdótia Románovna esperavam por Raskólnikov ali em seu quarto. Nastássia, que as havia recebido, ainda estava ali, de pé, à espera do inquilino. O rapaz já nem se lembrava da chegada da família, por isso, ao deparar-se com as duas ali, ficou completamente tomado de surpresa. Elas estavam bastante alarmadas, pois a empregada havia contado toda a história: ele ficara muito doente, tivera febre e hoje mesmo havia "sumido sem deixar rastros". As duas choraram e rezaram por ele.

Um grito de alegria e alívio foi a recepção que a mãe e a irmã deram a Raskólnikov, atirando-se em seus braços. Ele, porém, ficou ali parado, como morto, sem reagir. As duas o beijavam e abraçavam, riam e choravam de alegria. O rapaz, por fim, conseguiu se afastar delas, então sentiu a cabeça rodar e as pernas falharem. Desmaiou.

CAPÍTULO 13

Razumíkhin entrou no quarto rapidamente e colocou o amigo no sofá, enquanto tentava acalmar, sem sucesso, as duas mulheres que começaram novamente a chorar, soluçando. Pouco depois, Raskólnikov voltou a si e sentou-se no sofá. A mãe e a irmã sentaram-se cada uma de um lado, e Pulkhéria Aleksándrovna pôs-se a agradecer Razumíkhin, já sabendo, por intermédio de Nastássia, de toda ajuda e preocupação que o rapaz vinha demonstrando em relação a seu filho.

Debilmente, Raskólnikov fez um sinal a Razumíkhin para que cessasse aquele fluxo interminável de agradecimentos e elogios. Ele então pegou a mãe e a irmã pelas mãos e assim ficou por um longo tempo, em silêncio, olhando ora para uma, ora para outra. A mãe começou a ficar assustada com aquele olhar, era como se o filho tivesse enlouquecido. Avdótia Románovna estava pálida e suas mãos tremiam.

– Vão para casa... Ele vai com vocês – disse Raskólnikov, apontando para o amigo. – Até amanhã, amanhã tudo vai... Faz tempo que vocês chegaram?

– Hoje à tardinha, Ródia – respondeu Pulkhéria Aleksándrovna. – O trem atrasou tanto. Mas não irei embora com você assim! Vou passar a noite aqui...

– E ficar me atormentando! – respondeu Raskólnikov, e soltou sua mão.

– Eu fico com ele! – exclamou Razumíkhin – Não o deixarei nem um só minuto!

– Fico tão agradecida! – recomeçou Pulkhéria Aleksándrovna, estendendo a mão a Razumíkhin.

– Que seja, que seja! – interrompeu Raskólnikov – Vão embora...

– Vamos, mãezinha, vamos embora – sussurrou Avdótia Románovna, um pouco assustada –, estamos incomodando, dá para ver.

– Mas será que não posso nem olhar para ele depois de três anos! – exclamou Pulkhéria Aleksándrovna, com os olhos cheios d'água.

– Espere! – interrompeu novamente. – Vocês estão me deixando confuso... Já viram Lújin?

– Não, Ródia, mas ele já sabe que chegamos – respondeu Pulkhéria Aleksándrovna, acrescentando timidamente. – Ouvimos dizer que ele teve a bondade de vir visitá-lo hoje.

– Pois sim... Teve a bondade... Dúnia, fique sabendo que eu o mandei para o inferno.

– Ródia! Tenha dó! Sei que você não quis dizer isso... – começou Pulkhéria Aleksándrovna, alarmada, mas parou ao olhar para Dúnia.

A moça olhava fixamente para o irmão e esperava o que viria a seguir. As duas haviam sido informadas por Nastássia a respeito da discussão de Raskólnikov e Lújin, e esperavam ansiosas e preocupadas para saber o que, de fato, acontecera.

– Dúnia – continuou Raskólnikov, com esforço –, eu não desejo que esse casamento se realize, por isso você tem que desmanchar esse noivado amanhã mesmo.

– Meu Deus! – exclamou Pulkhéria Aleksándrovna.

– Meu irmão, ouça o que está dizendo! – disse Dúnia. – Agora você não está em seu juízo perfeito, está cansado...

– Juízo perfeito? – interrompeu Raskólnikov. – Eu sei muito bem que você vai se casar com Lújin por mim. Eu não aceito nenhum sacrifício. E é por causa disso que você tem que... que... que escrever uma carta para ele desmanchando o noivado.

– Eu não posso fazer isso! Com que direito...

– Dúnietchka, você também está um tanto irritada... Amanhã nós... – começou a mãe, atrapalhando-se. – Bem, vamos embora, é melhor...

– Até amanhã, meu irmão – disse Dúnia, com pesar. – Vamos, mamãe, vamos indo...

– Eu não estou delirando, não estou! – repetiu, reunindo as últimas forças. – Esse casamento é uma indignidade. Sei que sou um canalha, mas não vou admitir... Não vou admitir uma baixeza dessas, não...

– Está bem, basta, basta – interferiu Razumíkhin, mas Raskólnikov de fato não tinha mais forças para continuar. Deitou-se no sofá e virou--se de costas. Todos se entreolharam.

– Não posso deixá-lo assim... – recomeçou a falar Pulkhéria Aleksándrovna, sussurrando.

– O melhor é a senhora ir embora – insistiu Razumíkhin, acompanhando-as até o corredor. – Vamos, Nastássia, ilumine aqui, faça o favor.

Saíram todos do quarto e Razumíkhin fechou cuidadosamente a porta. Parada no corredor, Pulkhéria Aleksándrovna ainda derramava algumas lágrimas e era consolada por Dúnia. As duas pareciam imensamente cansadas e abatidas sob a luz tremeluzente da vela que Nastássia segurava.

– Bem, é melhor as senhoras irem – disse Razumíkhin afinal. – Ele está mesmo fora de si, é melhor não o incomodar mais. Imagine que quase bateu no médico...

– Oh, céus! – gemeu Pulkhéria Aleksándrovna.

– Mas fique tranquila, eu ficarei de olho nele.

– E se eu falasse com a senhoria e pedisse que me arranjasse um cantinho aqui? – insistiu Pulkhéria Aleksándrovna. – Um cantinho qualquer, só para...

– Impossível, não há nem um único cantinho vago por aqui – disse o rapaz. – Além disso, a senhora não pode deixar Avdótia Románovna sozinha, não é verdade?

– Vamos, mãezinha... – disse Dúnia e acrescentou, olhando para Razumíkhin com afabilidade. – O senhor Razumíkhin parece conhecer bem Ródia. Ele sabe o que é melhor.

– Mas...

– Ficarei de olho nele, é uma promessa – respondeu Razumíkhin, devolvendo o olhar a Dúnia.

Pulkhéria Aleksándrovna não parecia estar completamente convencida, porém também não insistiu mais. Razumíkhin então estendeu um braço para cada uma e os três seguiram assim pelo corredor até as escadas. O rapaz acompanhou a mãe e a irmã de Raskólnikov até a rua. Na calçada, assegurou-lhes, mais uma vez, que ficaria de olho em Ródia, cuidaria dele e daria notícias assim que pudesse. Convencidas pela presteza de Razumíkhin e pela sinceridade de suas ações, as duas agradeceram e seguiram caminho para o apartamento que Lújin alugara para elas.

Avdótia Románovna havia causado uma forte impressão em Razumíkhin: era uma moça extraordinariamente bela. De rosto, era parecida com o irmão, porém mais bonita. Tinha os cabelos castanho--claros, os olhos escuros e brilhantes, era alta, bem-feita e parecia muito segura de si. Sua segurança se refletia na maneira de se portar, falar e em cada um de seus gestos, que não deixavam de ser, por causa disso, suaves e graciosos. Via-se logo que era uma moça de personalidade. Essa combinação formava um quadro irresistível ao simplório Razumíkhin, por isso ele estava empenhado mais que nunca em ficar de olho em Raskólnikov.

O quarto que Lújin arranjara para Pulkhéria Aleksándrovna e Avdótia Románovna era, de fato, pequeno e malcuidado, mas as duas pareciam não se incomodar muito com isso. Tão logo chegaram, Dúnia pôs-se a caminhar, pensativa, pelo quarto, como era seu costume. A mãe a observava, por vezes se perdendo em seus próprios pensamentos. Passada cerca de meia hora, alguém bateu à porta. As duas se entreolharam e Dúnia foi abrir. Era Razumíkhin.

– Não vou entrar, muito obrigado – começou, um pouco atarantado. – Vim apenas informar que Ródia está bem, dormindo profundamente. Deixei-o com Nastássia, que não sairá de seu lado até que eu retorne. Logo mais, Zóssimov, o médico, estará lá. Preciso ir. Isso é tudo!

O rapaz fez uma mesura e já se afastava, apressado, quando voltou atrás e acrescentou:

– Amanhã às dez horas estarei aqui para dar notícias.

Fez uma nova mesura e foi embora de vez.

– Que rapaz tão atencioso! – exclamou Pulkhéria Aleksándrovna, de maneira enlevada.

– Parece ser uma pessoa excelente! – concordou Dúnia, sorrindo.

CAPÍTULO 14

No dia seguinte, exatamente às dez horas, Razumíkhin estava à porta do apartamento das Raskólnikovas. As damas o esperavam desde cedo e já demonstravam certa impaciência. Desta vez, ele entrou no quarto e, um tanto acanhado, lançou um olhar a Avdótia Románovna, porém encontrou em seu rosto uma expressão doce, que o deixou mais à vontade. O tema da conversa, é claro, já estava decidido: Ródia e sua saúde. Ao ouvirem que tudo estava indo bem e que o doutor Zóssimov observara consideráveis melhoras, as duas se tranquilizaram e passaram a perguntar detalhes da vida de Raskólnikov.

Assim passou-se cerca de uma hora, com Razumíkhin narrando os acontecimentos do último ano, seus encontros com o amigo, do casamento arranjado com a filha da senhoria, que acabara morrendo antes que concretizasse, da doença e tudo o mais. Pulkhéria Aleksándrovna ouvia com toda a atenção do mundo, interrompendo e fazendo perguntas a todo instante. Dúnia também ouvia atentamente, mas fazia poucas perguntas. Passaram então a falar das duas, como tinham se ajeitado ali, como estavam os preparativos para o casamento. Ao chegar a esse tema, Razumíkhin, antes desembaraçado e à vontade, mostrou-se um tanto cauteloso e inseguro, o que causou certa surpresa em Pulkhéria Aleksándrovna.

– Posso lhe perguntar uma coisa francamente, senhor... – começou ela e interrompeu-se. – Ora, eu até agora não sei seu nome completo!

– Dmitri Prokófitch – respondeu prontamente.

– Pois bem, Dmitri Prokófitch, qual é a sua opinião a respeito de Piotr Petróvitch, o noivo de Dúnia?

O rapaz ficou em silêncio, pensando no que deveria responder.

– Não posso ter uma opinião formada a respeito de Piotr Petróvitch, pois o vi uma única vez – disse ele, afinal –, mas, se Avdótia Románovna o aceitou como noivo, presumo que seja um homem... Digno – acrescentou, sem muita convicção.

Mãe e filha trocaram olhares e Dúnia ficou ligeiramente corada. Parecendo um pouco indecisa, Pulkhéria Aleksándrovna torcia as mãos e olhava para filha.

– Pois veja, Dmitri Prokófitch... – começou ela. – Posso ser totalmente franca com ele, não posso, Dúnia?

– É claro que sim, mãezinha – respondeu a moça, com ar sério.

– Eis a questão: hoje cedo recebemos um bilhete de Piotr Petróvitch, em resposta ao que enviamos avisando que havíamos chegado bem. Ele havia dito... Bem, havia prometido que nos encontraria na estação e que viríamos todos juntos para o apartamento; em vez disso, mandou um lacaio nos encontrar. Mandou avisar que não pudera nos encontrar por conta de negócios muito importantes, mas que estaria aqui de manhã bem cedo. – Fez uma pausa e tirou um pequeno papel do bolso do vestido. – E hoje cedo o que recebemos foi esse bilhete que... Bem, talvez seja melhor que o senhor mesmo leia e diga o que acha. Dúnia já decidiu o que fazer, mas gostaria de saber sua opinião.

Razumíkhin recebeu o bilhete que Pulkhéria Aleksándrovna lhe estendera e leu o seguinte:

Prezada senhora Pulkhéria Aleksándrovna,
Tenho o dever de informar-lhe que hoje, devido a assuntos de extrema importância, não poderei encontrá-las pela manhã como havíamos combinado. Será melhor assim, vocês poderão descansar e encontrar-se com seu saudoso filho e irmão. Poderei encontrá-las, sem falta, hoje à noite, não antes das oito horas. Devo pedir, porém, que Rodion Románovitch não esteja presente no momento de minha visita, uma vez que ele me ofendeu de maneira extremamente grosseira quando estive em seu apartamento. É imprescindível que ele não esteja presente também porque preciso conversar com a senhora pessoalmente e saber sua opinião a respeito de um determinado assunto muito delicado. Previno-a de que, caso venha a

CRIME E CASTIGO

encontrar Rodion Románovitch, serei obrigado a me retirar ime-
diatamente. Escrevo tudo isso levando em consideração que seu
filho possa visitá-la, uma vez que ontem, embora parecesse muitís-
simo doente, teve condições de sair pela cidade no meio da noite e
acabar no apartamento de um velho beberrão atropelado, deixan-
do com a filha deste – uma moça de conduta deplorável, para dizer
o mínimo – cerca de vinte rublos para que se realizasse o enterro.
Tal fato me deixou estarrecido, uma vez que sei quanto trabalho
custou-lhe reunir certa quantia para enviar ao seu filho. Sem mais,
mando minhas lembranças à Avdótia Románovna.
Respeitosamente,
P. Lújin

– O que devo fazer, Dmitri Prokófitch? – perguntou Pulkhéria
Aleksándrovna aflita, por pouco não caindo no choro. – Como posso
dizer a Ródia que não venha nos ver? Ele falou tanto que não queria que
esse casamento acontecesse... O que vai ser agora?

– Faça o que Avdótia Románovna decidiu – respondeu Razumíkhin
de maneira tranquila.

– Oh, céus! Ela disse... Sabe Deus por que ela disse isso, não me explicou nada! Disse que é preciso que Ródia venha aqui hoje, às oito, sem
falta, para que ele e Piotr Petróvitch se encontrem... Mas eu não entendo o porquê, não entendo mesmo... Também não sei que tal beberrão é
esse que foi atropelado, quem é essa filha e por que Ródia deu dinheiro
a eles...

– Ele estava fora de si ontem – disse Razumíkhin, tentando ajudar de
alguma maneira. – Parece que me falou alguma coisa a respeito desse
homem atropelado e da filha ontem, quando voltávamos para casa, mas
não entendi muito bem, achei até que ele estava delirando...

– O melhor, mamãe, é irmos falar diretamente com Ródia! – disse
Dúnia. – Eu lhe asseguro que, assim que falarmos com ele, saberemos o
que fazer. Agora, vamos nos apressar, já passa das onze!

Fiódor Dostoiévski

Dizendo isso, ela e a mãe levantaram-se e começaram a se ajeitar para sair. Razumíkhin não pôde deixar de notar que a mantilha de Pulkhéria Aleksándrovna, bem como suas luvas e as luvas de Dúnia, estava um tanto puída. Curiosamente, porém, a pobreza e a simplicidade do vestuário das duas damas davam-lhes um ar de dignidade especial, como sempre acontece com quem sabe usar uma roupa simples. O rapaz observava Dúnia com admiração e sentia até certo orgulho de conduzir duas senhoras como aquelas.

Chegando à rua, Pulkhéria Aleksándrovna voltou a expressar sua preocupação em relação a Ródia e sua reação ao vê-las.

– Deus do céu! – dizia ela – Quando é que eu podia imaginar que um dia teria receio de encontrar meu próprio filho!

– Tudo correrá bem, mãezinha – respondeu Dúnia, beijando-a.

– Sabe, Dúnietchka, eu mal adormeci ontem e logo sonhei com a falecida Marfa Petróvna... Estava toda de branco... Veio em minha direção, segurou minhas mãos e então balançou a cabeça, ficou me olhando como se me censurasse... Será que é bom ou mau presságio? Ah! O senhor está sabendo, Dmitri Prokófitch, que Marfa Petróvna morreu?

– Não, não estou – respondeu Razumíkhin, com simplicidade –, e quem é Marfa Petróvna?

– Depois, mamãe – interrompeu Dúnia –, ele ainda não sabe quem é Marfa Petróvna.

– Ah, é mesmo!

Eles seguiram o caminho até o prédio de Raskólnikov. Pulkhéria Aleksándrovna continuou expressando suas preocupações e receios, enquanto Dúnia e Razumíkhin buscavam acalmá-la. Enquanto subiam até o quarto, a pobre mãe censurava as escadas e o estado do corredor. Que lugar seu Ródia arrumara para viver!

Ao chegarem ao último andar, notaram que a porta do quarto estava entreaberta. Razumíkhin achou um tanto estranho e olhou preocupado para Pulkhéria Aleksándrovna e Avdótia Románovna. De repente, a porta se escancarou, e Zóssimov saiu de lá, gritando alegremente:

– Está curado! Curado!

CAPÍTULO 15

De fato, Raskólnikov estava quase completamente curado, ainda mais em comparação à noite anterior. Vestia uma roupa de dormir limpa, estava lavado e penteado, o que há muito tempo não acontecia, mas seu rosto estava um tanto pálido e sombrio. Ao ver entrarem a mãe e a irmã, seu rosto pareceu se iluminar por um instante.

O brilho no rosto, porém, desapareceu tão rápido quanto surgira, substituído por uma expressão de agonia, o que deixou surpreso o doutor Zóssimov. Em vez de alegria, a chegada da família parecia causar no paciente algum tipo de sentimento desagradável, como se fosse uma tortura recebê-la ali.

– Sim, estou me sentido muito melhor – disse Raskólnikov, saudando a mãe e a irmã com um beijo em cada uma, o que muito alegrou Pulkhéria Aleksándrovna. – E não vou me comportar como me comportei *ontem* – completou, apertando a mão de Razumíkhin.

Zóssimov aproveitou o momento para desfiar uma série de conselhos muito sábios a Raskólnikov, querendo causar uma boa impressão nas damas que acabavam de chegar. Ao terminar, foi com grande surpresa que notou o olhar de troça e o sorriso irônico que se desenhara no rosto do paciente. Passou-se um minuto de silêncio até que Pulkhéria Aleksándrovna começasse a agradecer imensamente Zóssimov e Razumíkhin por cuidarem de seu filho, por dar notícias ontem tarde da noite, por tudo.

– Quer dizer que ele esteve com vocês ontem à noite? – quis saber Raskólnikov, inquieto. – Então vocês não descansaram depois da viagem?

– Ah, Ródia, isso foi umas duas horas, eu e sua irmã estamos acostumadas a dormir tarde.

– Não consigo entender – continuou Raskólnikov, dirigindo-se agora a Zóssimov. – Por que é que desperto tanta preocupação no senhor? É necessário que o senhor fique aqui no meu pé dia e noite?

– Não se exaspere – respondeu Zóssimov, forçando uma risada. – O senhor é meu primeiro paciente, e o primeiro paciente nós amamos como se fosse um filho.

– E não vou nem começar a falar desse aí – disse Raskólnikov, apontando para Razumíkhin. – Não recebeu de mim nada além de ofensas.

– Mas o que é isso! Está sentimental hoje? – exclamou Razumíkhin.

Ele teria notado, se fosse mais perspicaz, que o estado de espírito de Raskólnikov não era, nem de longe, sentimental. Avdótia Románovna notou isso e acompanhava, atenta e preocupada, tudo que o irmão dizia.

– E você, mãezinha! – continuou, como se repetisse uma lição que estudara a manhã inteira. – Somente hoje, pude me dar conta do quão preocupada a senhora deve ter ficado enquanto me esperava aqui, neste quarto, à noite – dizendo isso, de repente, ficou calado e sorriu, estendendo a mão para a irmã. Dessa vez, seu sorriso pareceu muito sincero. Dúnia pegou sua mão e a apertou ternamente, alegre e agradecida. O rosto da mãe brilhou de contentamento.

– Ah, Ródia, você não pode nem imaginar o quanto eu e sua irmã ficamos tristes e preocupadas ontem!

– Está bem, está bem, já passou... – murmurou Raskólnikov, mas parecia tão desinteressado que deixou Dúnia, que ainda o observava atentamente, surpresa. Pouco depois, acrescentou: – Não pensem que eu não fui vê-las de propósito.

– Ora, meu filho...

– É que a questão da roupa me deteve... Tenho de pedir a Nastássia que lave essa roupa para mim. Para tirar o sangue.

– Sangue? Que sangue? – alarmou-se Pulkhéria Aleksándrovna.

– Não se preocupe, não é meu sangue. É que ontem, quando estava pela rua, delirando, acabei cruzando com um homem atropelado... Um funcionário.

– Delirando? Mas você se lembra de tudo – notou Razumíkhin.

– É verdade, me lembro de tudo, nos mínimos detalhes. Mas não sei dizer por que fui até lá, o que eu disse. Isso eu não sei explicar...

CRIME E CASTIGO

– É um fenômeno bastante conhecido – começou Zóssimov. – Acontece em muitos casos: o doente lembra-se do que fez, mas não lembra por que nem o que disse. É como se fosse um sonho.

"É até bom que eles achem que estou louco", pensou Raskólnikov.

– Mas isso pode acontecer até com quem está bem de saúde – disse Dúnia, olhando com preocupação para Zóssimov.

– Muito bem colocado.

– Mas, afinal, o que aconteceu? – quis saber Razumíkhin, interrompendo Zóssimov antes que ele iniciasse um novo solilóquio.

– O que aconteceu? – repetiu Raskólnikov. – Ah, sim... Aconteceu que eu me sujei de sangue enquanto ajudava a levar o atropelado para casa... Aliás, mãezinha, preciso comparecer a um funeral hoje à noite. Eu dei todo o dinheiro que a senhora me mandou para a esposa desse funcionário... Está agora viúva, é tísica, tem três filhos pequenos, passa muita necessidade... Eu bem sei que não tinha esse direito, imagino como foi difícil para vocês conseguirem o dinheiro, e para se dar dinheiro a alguém é preciso antes de tudo ter o próprio dinheiro, mas...

– Basta, Ródia. Tenho certeza de que tudo que você faz está certo! – observou a mãe, tentando parecer alegre.

– Não tenha tanta certeza – respondeu ele.

Fez-se silêncio. Todos podiam sentir uma tensão crescente ali.

– Está sabendo, Ródia, que Marfa Petróvna morreu? – disse Pulkhéria Aleksándrovna de repente, para romper o silêncio.

– Que Marfa Petróvna?

– Ah, meu Deus, a Marfa Petróvna, oras! A Svidrigáilova! Eu escrevi sobre ela para você tantas vezes.

– Ah, sim... Lembro... Morreu, foi? – respondeu ele. – Morreu de quê?

– De um mal súbito, acredite se quiser! – apressou-se em dizer Pulkhéria Aleksándrovna, contente em ver a curiosidade do filho. – E no mesmo dia em que enviei aquela última carta! E dizem que foi o marido que causou a morte, dizem que bateu tanto nela que...

– E sempre foi assim? – perguntou ele a Dúnia.

– Não, muito pelo contrário – respondeu a irmã. – Ele sempre foi muito paciente, até mesmo respeitoso com ela. Parece que perdeu a paciência.

– Parece que você está defendendo-o.

– Não é nada disso, é um homem horrível! Não consigo imaginar alguém pior do que ele – respondeu Dúnia rapidamente, tremendo.

Puseram-se a discutir o caso. Marfa Petróvna e Svidrigáilov foram casados durante sete anos, e nunca ele havia levantado um dedo para ela. O caso, pelo que diziam, era o seguinte: o marido batera nela pela manhã e com tal furor que nunca poderiam imaginar que fosse capaz; na hora do almoço, porém, parecia tudo bem, a esposa mandara arrear a carruagem, pois iria à cidade, como era seu hábito; almoçou muito bem, comeu de um tudo, depois foi tomar um banho (ela tinha esse hábito de tomar um banho frio logo depois do almoço, que, na visão do doutor Zóssimov, era altamente perigoso) e foi lá, no banho, que teve um mal súbito e morreu.

– Mas por que é que está falando disso, mãezinha? – interrompeu--lhe Raskólnikov.

– Ah, meu querido, eu nem sabia sobre o que conversar com você hoje! – respondeu.

– O que é isso? Está com medo de conversar comigo?

– Está – disse Dúnia, olhando severamente para o irmão. – Fez até o sinal da cruz antes de subir as escadas.

– Ah, Dúnia! Não fique zangado, Ródia... Dúnia! Para que foi falar isso? – atrapalhou-se Pulkhéria Aleksándrovna. – É bem verdade que, vindo para cá, o caminho todo no trem, eu estava sonhando em ver você, pensando em como seria... Estava tão feliz, tão feliz... Ora, o que há comigo? Estou feliz agora, muito feliz! Feliz em ver você, Ródia...

– Está bem, fique tranquila, teremos tempo de conversar.

Dizendo isso, ficou sombrio e empalideceu: outra vez teve uma sensação ruim e sentiu um frio mortal em sua alma; outra vez ficou claro que estava mentindo, pois sabia que nunca mais teria tempo de conversar com a mãe ou com quem quer que fosse. Tomado por esse

CRIME E CASTIGO

sentimento, Raskólnikov ficou como que fora de si, caindo em um estado de torpor.

Todos no quarto o observaram por algum tempo. Imaginando que o rapaz iria logo dormir, Zóssimov levantou-se e despediu-se, dizendo que voltaria mais tarde para vê-lo, mas que, a seu ver, o pior já havia passado e ele estava curado. Fez uma mesura e saiu. Razumíkhin fez menção de ir embora também, mas Raskólnikov, saindo do estado de esquecimento em que caíra, impediu:

– Você não tem nada para fazer, fique. Não precisa ir embora só porque Zóssimov foi.

– Que quarto ruim que você arranjou, Ródia – disse Pulkhéria Aleksándrovna, mais uma vez tentando encontrar um assunto. – Tão pequeno... Parece até um caixão de tão apertado! Tenho certeza de que grande parte do seu mal vem desse quartinho tão apertado.

– Meu quarto? – repetiu Raskólnikov, pensativo. – É, pois é, eu mesmo já pensei sobre isso... Que coisa curiosa a senhora acaba de dizer, mãezinha.

Dali a pouco tempo todo aquele contato social, a presença de Razumíkhin e da mãe e da irmã com aquelas conversas vazias iriam se tornar insuportáveis para Raskólnikov. Ele já começava a sentir o antigo asco que o acometia sempre que estava rodeado por outras pessoas. Havia, entretanto, um assunto importante sobre o qual tinha de falar. E tinha de falar naquele momento, resolver tudo de uma vez.

– Dúnia – começou, sério –, peço desculpas pelo que disse ontem, mas ainda assim preciso deixar claro: ou eu ou Lújin. Ele é um qualquer, sei que você merece alguém muito melhor. Se você se casar com ele, não será mais minha irmã.

– Ródia, Ródia! Mas isso é a mesma coisa que você disse ontem! – disse Pulkhéria Aleksándrovna, amargurada.

– Meu irmão – respondeu Dúnia, com a mesma seriedade –, pensei muito ontem à noite e cheguei a uma conclusão: você entendeu tudo errado. Está achando que vou me casar como se fosse um sacrifício, não é nada disso. Vou me casar, porque não tenho outras opções e ficarei feliz se tudo der certo...

"Que mentira!", pensou Raskólnikov. "É uma mentirosa e uma orgulhosa, não quer admitir nada!"

– Em suma, vou me casar com Piotr Petróvitch – continuou Dúnia –, porque, como se diz, dos males o menor. Estou disposta a ser uma boa esposa e cumprir tudo que... Mas do que está rindo?

Dúnia começava a ficar encolerizada, seus olhos brilhavam de raiva diante da postura do irmão.

– Está disposta a ser uma boa esposa, é? – perguntou Raskólnikov, rindo maldosamente.

– Tudo dentro de certos limites. Em seu pedido e em sua forma de agir, Piotr Petróvitch já deixou bem claro que tipo de esposa espera. Sei que ele se tem em alta conta, mas acredito que... Por que está rindo de novo?

– E por que você está ficando vermelha? Está mentindo, minha irmã, mentindo e nem consegue disfarçar! Sei muito bem que não pode amar e respeitar Lújin, eu mesmo conversei com ele, vi que tipo de homem ele é. É evidente que só vai se casar pelo dinheiro dele.

– Não é verdade! – gritou Dúnia, perdendo de vez o sangue-frio. – Eu não me casaria se não tivesse certeza de que ele me respeita, e que poderia eu mesma tê-lo em alta conta algum dia. E mesmo que me casasse pelo dinheiro, você não teria o direito de falar assim comigo! Para que toda essa crueldade? O que você quer de mim, afinal? Que eu seja uma heroína ou o quê? Eu... Ródia, o que foi? Está tão pálido! Ródia!

– Santo Deus! Você o fez desmaiar! – gritou Pulkhéria Aleksándrovna, de maneira assustada.

– Não, não foi nada – disse Raskólnikov – Uma tontura passageira, é só isso.

Dúnia e Pulkhéria Aleksándrovna trocaram um olhar significativo.

– Mostre-lhe a carta, mamãe.

Pulkhéria Aleksándrovna estendeu a Raskólnikov o bilhete que elas haviam recebido naquela manhã. Ele pegou o papel e ficou um tempo

CRIME E CASTIGO

olhando para ele sem lê-lo. Afinal, começou a ler e percebeu que não entendia nada. Recomeçou a leitura e leu o bilhete duas vezes.

– Mas como escreve mal – disse, ao terminar a segunda leitura.

Todos ali se mexeram em seus lugares e se entreolharam. Não era nada daquilo que eles esperavam.

– Escreve como todos escrevem hoje em dia – observou Razumíkhin.

– E por acaso você leu?

– Li.

– Nós mostramos essa carta a ele hoje cedo, Ródia – disse Pulkhéria Aleksándrovna.

– É um homem de negócios – concluiu Raskólnikov. – Até para escrever bilhetes.

Outra vez, silêncio. Sabendo que Dúnia já havia tomado sua decisão e que Razumíkhin a apoiava, Pulkhéria Aleksándrovna decidiu perguntar:

– Então, o que acha, Ródia?

– O que acho do quê?

– Piotr Petróvitch diz que virá nos ver esta noite e que se você estiver presente, irá embora...

– Você estará presente? – perguntou Dúnia.

– Isso não cabe a mim resolver.

– Eu quero que esteja, Ródia. Já decidi.

– Então estarei.

– E o senhor também, Dmitri Prokófitch – continuou Dúnia, dirigindo-se a Razumíkhin, que assentiu com a cabeça.

– Então, que assim seja – sentenciou Pulkhéria Aleksándrovna – Será que Piotr Petróvitch ficará muito decepcionado?

CAPÍTULO 16

Um minuto depois, a porta se abriu silenciosamente, e uma moça entrou no quarto, demonstrando estar imensamente acanhada. Todos os olhares se voltaram para ela com surpresa e curiosidade. Raskólnikov não a reconheceu de imediato, mas era Sófia Semiónovna Marmeládova. Dessa vez, ela estava vestida de maneira simples e discreta, parecendo ainda mais jovem do que realmente era, quase uma garotinha. Usava um vestido acinzentado, um chapéu simples e, como na véspera, trazia nas mãos uma sombrinha. Ao ver tanta gente reunida ali no quarto, pareceu bastante surpresa e um tanto perdida, ficando imediatamente corada e fazendo um movimento como se fosse embora.

– Ah... É a senhorita... – disse Raskólnikov, surpreso.

No mesmo instante, deu-se conta de que a mãe e irmã haviam sido alertadas por Lújin da "conduta deplorável" de Sônia. Só então lembrou-se de que não dissera uma única palavra a esse respeito quando lera a carta, nem protestara contra o uso daquela expressão. Ao ver a moça ali, parada perto da porta e visivelmente acanhada, não pôde deixar de sentir pena.

– Eu não esperava que viesse – apressou-se em dizer, antes que Sônia fosse embora de fato. – Fique à vontade, sente-se. Vem da parte de Katerina Ivánovna, com certeza.

– Sente-se aqui, por favor – disse Razumíkhin, cedendo sua cadeira a Sônia e sentando-se ele mesmo no canto do sofá, onde Zóssimov estivera antes sentado.

Sônia se sentou, por pouco não tremendo de medo, olhando timidamente para a irmã e a mãe de Raskólnikov. Estava evidente que ela não entendia como era possível que estivesse sentada ao lado de duas damas distintas como aquelas, ainda que vestidas com muita simplicidade. Como se visse naquela situação algo de absurdo e inadequado, ela levantou-se rapidamente e fez menção novamente de sair.

CRIME E CASTIGO

– Eu... Eu vim só... Perdoem-me se atrapalho – começou a dizer, hesitante. – Venho da parte de Katerina Ivánovna... Ela pediu que o senhor... Pediu que o senhor viesse sem falta às exéquias e que... Seria uma honra se o senhor estivesse lá... Foi o que ela disse.

– Farei o possível para ir – respondeu Raskólnikov, levantando-se também. – Mas tenha a bondade de sentar-se – disse, indicando a cadeira. – Talvez a senhorita esteja com pressa...?

Sônia novamente se sentou. Acanhada, olhou para Pulkhéria Aleksándrovna e Dúnia, baixando os olhos em seguida. Raskólnikov sentiu o rosto corar.

– Mãezinha – disse –, esta é Sófia Semiónovna Marmeládova, filha daquele infeliz Marmeládov, o funcionário que morreu atropelado ontem...

Pulkhéria Aleksándrovna olhou para Sônia e franziu ligeiramente o cenho. Apesar de toda sua perturbação diante do olhar desafiador que Ródia lhe lançara, ela não pôde furtar-se a esse pequeno prazer. Dúnia, séria, observava e analisava o rosto pálido da moça. Sônia, ao ouvir que era apresentada, ergueu novamente os olhos, mas ficou ainda mais perturbada que antes.

– Queria perguntar à senhorita – apressou-se em dizer Raskólnikov – como as coisas se desenrolaram hoje? Tiveram algum problema? Com a polícia, quero dizer.

– Não, senhor, correu tudo bem... Só os vizinhos estão um pouco descontentes.

– Por quê?

– Porque o corpo está lá ainda e... Faz tanto calor, está abafado... O corpo vai ser levado ao cemitério hoje à tarde, mas as exéquias serão só amanhã.

– Entendo... E ela conseguiu arranjar tudo para as exéquias?

– Sim, e agradece muito ao senhor, por ter ajudado ontem... Sem a sua ajuda nada disso seria possível – ao dizer isso, os lábios de Sônia tremeram, e ficou claro que ela fazia um esforço tremendo para falar. Apesar disso, seus olhos já não estavam baixos, mas sim esquadrinhavam todo o pequeno quarto de Raskólnikov.

FIÓDOR DOSTOIÉVSKI

– A senhorita está examinando meu quarto? Minha mãe acabou de dizer que ele parece um caixão de tão apertado!

– O senhor nos deu tudo o que tinha! – exclamou Sônia, de repente.

Estava impressionada com a pobreza de Raskólnikov, como poderia ter dado todo aquele dinheiro a Katerina Ivánovna se vivia assim, de maneira tão miserável? Seus lábios e seu queixo tremiam ligeiramente. Fez-se um minuto de silêncio. Havia um brilho estranho nos olhos de Dúnia, mas Pulkhéria Aleksándrovna olhava para Sônia de forma mais amistosa.

– Ródia – disse ela, levantando-se –, nós precisamos almoçar. Dúnietchka, vamos... E você, Ródia, vá dar um passeio, descanse, depois vá nos ver...

– Sim, irei – respondeu, levantando-se também. – Tenho de resolver uns assuntos...

– Mas não vão almoçar juntos? – perguntou Razumíkhin, surpreso.

– Irei ver vocês mais tarde... E você, fique mais um minuto. Não vai precisar dele, vai, mãezinha?

– Ah, não, não! E o senhor, Dmitri Prokófitch, venha almoçar conosco, teria essa bondade?

– Sim, venha, por favor – pediu Dúnia.

Em resposta, Razumíkhin fez uma reverência. Estava simplesmente radiante com o convite. Por um instante, ficaram todos ali parados, um pouco constrangidos, como se não soubessem o que fazer.

– Então, adeus – disse Pulkhéria Aleksándrovna –, ou melhor, até logo, não gosto de dizer "adeus".

A mãe de Raskólnikov quis fazer uma reverência ao se despedir de Sônia, mas não conseguiu, atrapalhou-se um pouco e saiu do cômodo sem se despedir. Avdótia Románovna, por sua vez, aproximou-se de Sônia e fez uma reverência discreta e respeitosa. Sônia perturbou-se com essa delicadeza e fez também uma reverência, apressada.

– Dúnia, não vai se despedir de mim? Dê a mão!

– Mas já dei a mão, não se lembra?

CRIME E CASTIGO

Aproximou-se novamente e estendeu a mão ao irmão, que a apertou com força. Dúnia sorriu carinhosamente para ele, saindo em seguida atrás da mãe, que parecia muito feliz.

– Está tudo perfeito! – disse Raskólnikov a Sônia. – Que Deus dê paz aos mortos, pois aos vivos resta viver! Não é assim?

Sônia olhava espantada para o rosto alegre de Raskólnikov. O jovem ficou alguns momentos calado, olhando diretamente nos olhos dela. Pensava em sua história, tal qual lhe contara Marmeládov alguns dias atrás.

– Posso dizer a Katerina Ivánovna que o senhor irá? – disse Sônia, rompendo o silêncio e interrompendo os pensamentos de Raskólnikov.

– Sim – respondeu ele e acrescentou, ao ver que a moça já se preparava para ir embora: – Um instante, Sófia Semiónovna, também estou de saída. Queria só perguntar uma coisa a Razumíkhin: por acaso você conhece um... Como é mesmo o nome dele? Ah! Porfiri Petróvitch. Conhece?

– Como não! É amigo de meu tio. Um parente distante, na verdade. Por quê? – respondeu Razumíkhin sem conter a curiosidade.

– Pois parece que ele está envolvido na investigação daquele caso... O do assassinato da velha... Não era isso que você dizia ontem?

– Sim... E daí?

– Ele deve estar interrogando as pessoas que foram clientes da velha, não? Pois então, eu também penhorei uma ou duas coisinhas com ela. Coisa pouca, um anel e um reloginho. Mas o anel era de Dúnia, e o relógio, de meu pai. Gostaria de reaver esses objetos... Não pelo valor financeiro, porque não valem nada, mas por causa do valor sentimental. Você sabe, minha mãe certamente vai perguntar do relógio, e não quero que ela fique chateada. Então, você acha que falaria comigo se eu fosse à delegacia? O que você acha?

– Podemos falar com ele direto em sua casa! – exclamou Razumíkhin, bastante agitado. – Fica pertinho daqui, podemos ir agora mesmo.

– Vamos então!

– Ele vai ficar contente em conhecer você! Já falei muito a seu respeito! – ia dizendo Razumíkhin, animado, enquanto se levantava.

Em sua animação, acabou tropeçando em Sônia – Oh... Perdão, Sófia Ivánovna...

– Semiónovna. Sófia Semiónovna – corrigiu Raskólnikov. – Sófia Semiónovna, este é meu amigo Razumíkhin. É uma boa pessoa...

– Se os senhores precisam sair... – começou Sônia, mais acanhada e retraída do que nunca, sem nem levantar os olhos para Razumíkhin.

– Sim, vamos! – decidiu Raskólnikov. – Irei à sua casa, Sófia Semiónovna, diga-me onde mora.

Sônia deu-lhe o endereço e ficou completamente corada. Saíram os três juntos do quarto e juntos desceram as escadas até saírem do edifício.

– A senhorita vai por ali, não é, Sófia Semiónovna? – arriscou Raskólnikov, apontando a direita. Tinha vontade de dizer qualquer outra coisa e olhar para ela, para seus olhos claros e tranquilos...

– Sim... Então... Direi a Katerina Ivánovna que o senhor estará lá amanhã. Adeus, senhor Raskólnikov.

Ela estava imensamente feliz por ter, finalmente, saído. Foi andando apressada, quase tropeçando, para se afastar o mais depressa possível deles e ficar sozinha. Então poderia pensar, repensar, interpretar tudo que havia sido dito e feito naquela manhã. Ela nunca havia sentido algo como aquilo antes. Um mundo novo parecia se abrir em sua alma. Lembrou-se então de que Raskólnikov queria ir até sua casa.

"Mas não hoje, por favor, não hoje", pensava com o coração batendo forte. "Oh, Deus, hoje não..."

Em tal estado, a jovem, é claro, não poderia ter notado que um homem desconhecido a estava seguindo já havia algum tempo, desde que ela e os rapazes haviam saído do edifício. Ele passara por ali no exato momento em que ela se despedia dizendo "adeus, senhor Raskólnikov". Rápida e atentamente, o homem observou os três, principalmente aquele que entendera ser Raskólnikov. Prestou atenção ainda ao edifício, como se quisesse guardar todos os detalhes. Viu que os jovens se separaram e Sônia seguira à direita, sozinha. Começou a segui-la e estava cada vez mais perto, sem que ela se desse conta.

Era um homem de cerca de 50 anos, mais alto que a média, corpulento, de ombros largos que lhe davam um aspecto ligeiramente

CRIME E CASTIGO

encurvado. Vestia-se com esmero e tinha ares de fidalgo. Levava nas mãos, calçadas com luvas novas, uma bonita bengala, que ia batendo na calçada a cada passo que dava. Seu rosto era bastante agradável e pelo tom vívido e fresco de sua pele, via-se logo que não era de Petersburgo. Os cabelos, ainda bastante espessos, e a barba cheia eram louros, mas podia-se notar alguns fios brancos. Os olhos eram azuis e tinham um brilho gelado. Em resumo, um homem bastante conservado que parecia mais novo do que realmente era.

Ao chegar em casa, Sônia cruzou o portão e atravessou o pátio em direção às escadas. O homem continuou a segui-la. Somente quando começou a subir as escadas e ouviu um "bah!" vindo de trás foi que a moça notou que havia alguém ali. Ela chegou ao terceiro andar e dirigiu--se ao apartamento número nove, onde havia a placa "Kapernaúmov – Alfaiate" pendurada. "Bah!", repetiu o desconhecido. Ele estava parado à porta do número oito, a menos de seis passos de Sônia.

– A senhorita é inquilina do Kapernaúmov! – disse, olhando para Sônia e sorrindo. – Ele costurou um colete para mim outro dia. Estou aqui ao lado, inquilino da senhora Resslich. Acabei de me mudar.

Sônia olhou para ele atentamente.

– Vizinhos, então – continuou, alegre –, faz três dias que estou na cidade. Bem, até a vista!

A moça nada respondeu. Abriram a porta, ela entrou e foi direto a seu quarto. Por alguma razão, sentia-se envergonhada e assustada.

Enquanto isso, Razumíkhin e Raskólnikov estavam a caminho da casa de Porfíri Petróvitch. Razumíkhin estava especialmente agitado.

– Eu não sabia que você penhorava com a velha! Faz tempo isso? Quero dizer, faz tempo que você esteve lá?

"Mas que tolo inocente!", pensou Raskólnikov.

– Uns três dias antes de ela morrer – respondeu, mudando de assunto em seguida. – Será que vamos encontrar Porfíri Petróvitch em casa?

– Vamos, vamos – apressou-se em dizer Razumíkhin. – É um homem incrível, Ródia, você vai ver! É inteligente, muito inteligente, não deixa passar nada! Faz tempo que quer conhecer você.

111

– E por que ele quer tanto me conhecer?

– Porque... Ora, como "por quê"? Bem, é que quando ficou doente, falei muito de você e... Bem, falei muito de você, falei que teve de abandonar a faculdade, tudo isso, e ele disse "que pena" e que gostaria de conhecer você...

Os dois se calaram. Razumíkhin estava claramente animado, e Raskólnikov sentia nojo de toda aquela animação. Além disso, perturbava-o o fato de o amigo ter falado a seu respeito (e com tantos detalhes) para Porfiri Petróvitch. Sentia o coração bater mais forte e, outra vez, uma ligeira tontura.

– É aqui, neste prédio cinza – disse Razumíkhin, indicando a entrada do edifício.

– Sabe de uma coisa? Você está muito agitado hoje – comentou Raskólnikov, com uma pontada de maldade.

– Agitado? Mas como assim?

– Agitado, ora... Animado, dá para notar. Em casa, você não parava quieto na cadeira, uma hora estava sério, outra hora muito alegre. Ficou ainda mais agitado depois que mamãe o convidou para almoçar, chegou até a ficar vermelho...

– Nada disso! Que mentira!

– Veja só! Está vermelho de novo!

– Ora!

– Até se lavou hoje, não foi? Barba feita, unhas limpas...

– Pulha!

– Um perfeito Romeu!

– Pulha!

– Vou contar para Dúnia assim que puder! Que piada!

Razumíkhin fechou a cara, enquanto Raskólnikov gargalhava com vontade. E foi assim que entraram no apartamento de Porfiri Petróvitch: um completamente agastado, vermelho como um pimentão, repetindo a todo instante "pulha!", e o outro rindo até não poder mais.

CAPÍTULO 17

Logo o dono da casa apareceu para recebê-los. Porfiri Petróvitch estava à vontade, usando um roupão limpo e pantufas surradas. Era um homem de uns 35 anos, estatura um tanto baixa, gordo, tinha os cabelos cortados bem rentes e não usava nem barba, nem bigode, nem suíças. O rosto, redondo e corado, tinha uma expressão alegre e brincalhona. Poderia até parecer bondoso, não fossem os olhos que, envoltos em um brilho aquoso, escrutinavam ambos os recém-chegados, dando-lhe um ar sério e até mesmo severo.

Ele os recebeu afavelmente, apertando as mãos e conduzindo-os até a sala de estar. Diante da expressão contrariada de Razumíkhin, também não resistiu e acabou dando algumas risadas. O rapaz, por sua vez, calou-se e ficou ainda mais carrancudo. Ao entrarem na sala, Raskólnikov notou que havia mais um convidado, que estava sentado à mesa, com um sorriso nos lábios, como se tivesse escutado as gargalhadas na antessala e quisesse se divertir também. De início, Raskólnikov não o reconheceu, mas depois deu-se conta de que era Zamiótov, o escriturário que o atendera na delegacia dias atrás. A presença inesperada daquele homem causou-lhe uma sensação desagradável. "Mais essa!", pensou. "O que ele faz aqui?"

– Mil perdões – disse, dando-se conta de que ainda não se apresentara devidamente. – Sou Rodion Románovitch Raskólnikov.

–Muito prazer, muito prazer – respondeu Porfiri Petróvitch. – Há tempos que queria conhecer o senhor... Fique à vontade – e acrescentou, indicando com a cabeça Razumíkhin. – E o que há com ele? Não vai cumprimentar ninguém?

– Não faço ideia do que há com ele. Eu só disse que ele é um Romeu perfeito e então...

– Pulha! – resmungou Razumíkhin, ainda de cara amarrada.

– Deve haver um motivo muito bom para receber um apelido desses! – riu Porfíri Petróvitch.

– Até tu, Brutus! – exclamou Razumíkhin, ainda um tanto agastado, mas desanuviando o cenho em seguida. – São uns tolos, isso sim... Mas o que importa é que eu trouxe este pulha até aqui, meu amigo Ródia. E você, Zamiótov, o que faz aqui? Não sabia que era amigo de Porfíri Petróvitch.

– Nos conhecemos ontem, na casa de seu tio – respondeu ele.

– Pois muito bem – concluiu Razumíkhin, sentando-se ao seu lado. – Meu amigo Ródia tem um assunto importante a tratar com você, Porfíri Petróvitch.

– Vamos lá então!

Porfíri Petróvitch convidou Raskólnikov a sentar no sofá, acomodando-se também ali, um pouco afastado, e cravando nele um olhar inquisidor. Toda aquela atenção e seriedade, de início, oprimiam e confundiam o interlocutor, especialmente neste caso em que não estava claro o porquê de Porfíri Petróvitch ter tanto interesse em Raskólnikov. Mesmo assim, o rapaz conseguiu, em poucas palavras, dizer o que havia acontecido e o que desejava, e ainda pôde observar e analisar o anfitrião. Razumíkhin, da mesa, observava a conversa com atenção.

– O senhor deve dirigir-se à polícia – respondeu Porfíri –, dizendo que tomou conhecimento do assassinato e gostaria de reaver seus pertences. Isto é, comprá-los de volta, já que estavam penhorados.

– A questão é que, nesse momento, não tenho dinheiro algum... Só queria mesmo deixar claro que são minhas coisas e depois, quando tiver dinheiro, eu...

– Dá na mesma – respondeu Porfíri Petróvitch, recebendo friamente aquelas considerações financeiras. – Mas, se o senhor faz questão, pode escrever diretamente para mim para deixar registrado quais pertences são os seus.

– E isso pode ser feito em um papel comum?

– Ah, sim, no mais comum dos papéis!

Ao dizer isso, lançou um olhar ligeiramente zombeteiro ao rapaz, quase como se lhe desse uma piscadela. A Raskólnikov pareceu

CRIME E CASTIGO

nitidamente que houve uma piscadela, e ele poderia jurar que aquilo significava que Porfiri Petróvitch sabia de alguma coisa.

– Peço desculpas por incomodá-lo com um assunto desses – continuou o rapaz, um tanto embaraçado. – São coisas miúdas, simples, mas têm valor sentimental, e como minha mãe está na cidade, eu não queria que...

– Ah, então sua mãe está na cidade? – quis saber Porfiri Petróvitch.

– Sim, desde ontem.

Porfiri ficou em silêncio por um tempo, como se estivesse refletindo.

– Seus pertences não poderiam desaparecer de forma alguma – disse por fim. – E, aliás, eu já esperava que o senhor viesse me ver.

– Já esperava?! – exclamou Razumíkhin, intrometendo-se na conversa que escutava tão atentamente. – Você já sabia que ele penhorava com a velha?

Porfiri Petróvitch respondeu dirigindo-se diretamente a Raskólnikov.

– Ambos seus pertences, o anel e o relógio, foram encontrados no apartamento de Aliona Ivánovna, bem embrulhados com um papel que tinha seu nome e a data em que ela os recebera.

– E por que foi que essas coisas lhe chamaram atenção? – sorriu Raskólnikov, desajeitado, tentando em vão manter o olhar firme em Porfiri Petróvitch. – É que... Bem, havia uma série de penhores, não? O senhor teria dificuldade em lembrar-se de todos, por certo... Mas, ao contrário, lembrou-se justamente do meu nome...

"Quanta bobagem! Para que fui falar nisso?", pensou Raskólnikov.

– Praticamente todos os penhorantes já foram encontrados, o senhor era um dos poucos que ainda não haviam se apresentado – respondeu Porfiri Petróvitch, em um tom visível de zombaria.

– Não estava bem de saúde.

– Ouvi dizer. Agora mesmo o senhor me parece um tanto pálido.

– Não estou nem um pouco pálido! Nem um pouco! Ao contrário, estou perfeitamente bem! – respondeu rudemente Raskólnikov. Sentia a raiva ferver dentro de si.

– Não tão bem assim – acrescentou Razumíkhin. – Até ontem, ainda estava delirando... Acredite, Porfiri, ontem, assim que o deixamos sozinho, ele se vestiu e saiu escondido! E delirando, estou dizendo! Completamente fora de si.

– Completamente fora de si? Conte-me mais a respeito – quis saber Porfiri Petróvitch.

– Que bobagem! Não acredite em nada disso! – disse Raskólnikov, tomado pela raiva. Porfiri Petróvitch, porém, pareceu não ter dado atenção àquela explosão.

– E como é que você teria saído de casa se não estivesse delirando? – continuou Razumíkhin – Saiu para quê? Será que estava com a cabeça no lugar? Claro que não! Agora que já passou o pior posso falar tudo de maneira aberta.

– Eu já me cansei de todos eles! – respondeu Raskólnikov, dirigindo- -se não a Razumíkhin, mas a Porfiri Petróvitch. – Fugi do quarto porque não aguentava mais todos em cima de mim, como se eu fosse uma criança. Saí de casa e levei o dinheiro comigo. Queria era achar um quarto para alugar, um lugar onde ninguém me encontrasse.

– E hoje cedo me disse Nikodim Fomítch – começou a dizer Porfiri Petróvitch –, que viu o senhor ontem à noite, no apartamento de não sei que funcionário de repartição atropelado...

– Pois veja só! – observou Razumíkhin. – Será que não estava louco, delirante, quando foi até a casa desse funcionário? Deu todo o dinheiro que tinha para o funeral! Queria ajudar, vá lá, desse cinco, dez rublos, mas não tudo! Vinte rublos ao todo!

– E o que você tem a ver com isso? – irritou-se Raskólnikov e acrescentou, dirigindo-se a Porfiri Petróvitch. – Desculpe por incomodá-lo com essas bobagens, o senhor deve estar cansado delas.

– Muito pelo contrário! Se o senhor soubesse o quão interessante é ficar aqui vendo e ouvindo essas coisas... Não aceitariam um chá?

– Esplêndida ideia! – exclamou Razumíkhin.

Porfiri Petróvitch saiu da sala para ordenar que preparassem o chá.

Raskólnikov sentia-se terrivelmente agastado. Em sua cabeça, os pensamentos misturavam-se em um turbilhão.

CRIME E CASTIGO

"Não fazem nem questão de disfarçar! Estão me seguindo, estão no meu encalço como uma matilha de cães!", pensava, e tremia de raiva. "Diga as coisas abertamente! Abra o jogo! Isso de ficar brincando de gato e rato não é nada educado, senhor Porfiri Petróvitch, nada mesmo... Vou contar a verdade de uma vez, vou falar tudo na cara deles!" Raskólnikov mal podia controlar a respiração. "Mas... E se for só impressão? Se não souberam de nada? Não disseram nada de extraordinário... Mas o tom de voz, sim, por que falam com esse tom de voz? Não, tudo isso é bobagem. Se bem... Podem estar mancomunados! Por que é que fui inventar de vir até aqui?"

Enquanto isso, Porfiri Petróvitch retornou à sala.

– Tivemos uma conversa muito interessante na casa de seu tio há alguns dias – disse, dirigindo-se a Razumíkhin. – Uma pena você ter ido embora cedo.

– Sim, foi mesmo. Chegaram a alguma conclusão?

– Não, nenhuma. Não há resposta para algumas questões...

– Imagine você, Ródia – começou Razumíkhin, dirigindo-se ao amigo –, que a questão da vez era a seguinte: existe ou não o crime?

– E o que isso tem de mais? – respondeu Raskólnikov, distraído. – É uma questão social das mais banais.

– Não foi bem assim que a questão foi posta – observou Porfiri.

– É verdade, não foi bem assim – concordou Razumíkhin. – Ouça, Ródia, ouça e diga o que acha. Quero saber sua opinião. Começaram com a seguinte questão: o crime nada mais é do que um protesto contra a anormalidade das condições sociais.

– Que mentira! – gritou Porfiri Petróvitch, visivelmente animado em retomar o assunto.

– Mentira nenhuma! – respondeu Razumíkhin, com furor – Posso mostrar vários livros que falam disso! "O indivíduo é fruto de seu meio" é a frase predileta deles. Se a sociedade se constrói de forma normal e justa, então o crime não existe, pois não há motivos para protestar. Tudo muito simples, muito frio até. Como se não existisse a natureza, a humanidade, como se não existisse vontade e sentimento, e tudo se resumisse a um bom quarto e um prato de comida!

– Ora, acalme-se, meu amigo! – disse Porfíri, rindo. – Posso assegurar que o meio tem um papel importante em qualquer crime.

– Pois sim...

– Você acha que não? Posso provar... Aliás, posso antes pedir a opinião de seu amigo Raskólnikov? Há tempos li um artigo interessante de sua autoria. "A respeito do crime" ou qualquer coisa assim, saiu em uma revista, achei-o imensamente interessante.

– Um artigo meu? – perguntou Raskólnikov, surpreso. – De fato mandei um artigo para uma revista certa vez, mas achei que não o haviam publicado.

– Pois publicaram, publicaram sim.

– Ora, bravo! Bravo, Ródia! – animou-se Razumíkhin. – Hoje mesmo irei atrás dessa revista, quero ler sem falta!

– É um texto interessantíssimo – continuou Porfíri Petróvitch. – Seu amigo trata da questão do direito ao crime.

– Como é? Direito ao crime? – surpreendeu-se Razumíkhin.

– Sim, diz que há pessoas "comuns" e pessoas "extraordinárias" e que a essas pessoas extraordinárias seria permitido praticar qualquer tipo de crime sem sofrer punição, pelo simples fato de serem extraordinárias. Pelo menos, foi assim que me pareceu.

– Não, assim não pode ser! – murmurou Razumíkhin, confuso.

Raskólnikov deu um sorriso torto. Lembrava-se muito bem de seu artigo e entendia perfeitamente o que Porfíri Petróvitch pretendia ao mencioná-lo. Decidiu aceitar o desafio.

CAPÍTULO 18

– Não é bem assim – começou Raskólnikov, humildemente. – Eu não digo que as pessoas extraordinárias têm o direito ou a obrigação de praticar crimes. Acredito que nem deixariam que um artigo desses fosse publicado. O que fiz foi aludir ao fato de que uma pessoa extraordinária tem o direito, isto é, não o direito legal, oficial, mas o direito pessoal de escolha, de praticar alguns crimes. E isso somente se o crime for parte da realização de alguma ideia, pode até ser um plano salvador, algo que ajude muitas outras pessoas. No meu ponto de vista, se fosse necessário um crime para que as descobertas, como as de Kepler e Newton, pudessem ser feitas ou tornadas conhecidas, então seria imprescindível cometê-lo. Newton teria o direito de ultrapassar qualquer obstáculo. O que significaria livrar-se de uma, duas, dez ou cem pessoas para que suas descobertas pudessem ser conhecidas e mudar toda a humanidade? Isso não quer dizer, em absoluto, que Newton teria o direito de matar qualquer um que quisesse ou de roubar alguma coisa na feira.

Raskólnikov fez uma pausa, certificando-se de que todos prestavam atenção em seu raciocínio.

– Se pensarmos agora nos grandes legisladores da humanidade, começando com os mais antigos como Licurgo de Esparta, Salomão, Maomé e até um mais recente, como Napoleão, foram todos criminosos, porque, ao colocarem em curso grandes mudanças, estabelecerem novas ordens, desobedeceram a todas as leis anteriores. E isso sem falar em todo o sangue que derramaram. Em poucas palavras, se alguém for "extraordinário", se for capaz de dizer e fazer algo novo, este alguém deve ser necessariamente um criminoso. De outra forma, será difícil que realize, de fato, algo novo. Até aqui, como veem, não há nada de novo. Isso já foi dito e redito centenas de vezes.

Raskólnikov fez novamente uma pausa. Todos os presentes acompanhavam com atenção o desenrolar de suas teorias.

FIÓDOR DOSTOIÉVSKI

– Minha ideia principal, na qual eu acredito piamente, é a seguinte: pelas leis da natureza, as pessoas se dividem em dois tipos, as comuns e as extraordinárias, aquelas que possuem um talento ou dom para alguma coisa nova. O primeiro grupo de pessoas é um grupo de gente conservadora, obediente. E isso é uma obrigação delas, penso eu. O segundo grupo, por sua vez, deve transgredir as normas. E se for necessário passar por cima do cadáver de alguém, então essas pessoas extraordinárias podem (e devem!) ter a permissão de fazê-lo. Apenas se for imprescindível e tiver ligação direta à propagação de suas ideias, é importante notar. É nesse sentido que falo em "direito ao crime" em meu artigo. O primeiro grupo é composto por pessoas do presente, já o segundo, por pessoas do futuro. Os primeiros mantêm o mundo como ele é, os segundos fazem o mundo girar. Os dois grupos têm o mesmo direito de existir e de ir para o Paraíso, quando for a hora.

– Então o senhor acredita no Paraíso? – perguntou Porfiri Petróvitch, com curiosidade.

– Acredito – respondeu Raskólnikov com firmeza.

– Então acredita em Deus?

– Acredito – repetiu, olhando nos olhos de Porfiri.

– Era apenas uma curiosidade – observou o anfitrião. – Mas voltando ao assunto: como se pode diferenciar as pessoas comuns das pessoas extraordinárias? Há algum sinal de nascença? Algum tipo de característica essencial? Porque, veja bem, imagine se um indivíduo do grupo comum achar que faz parte do grupo dos extraordinários e concluir que pode começar a eliminar obstáculos, seria uma situação bastante espinhosa, não?

– É uma observação muito interessante. Isso, de fato, acontece com frequência – respondeu Raskólnikov, buscando um tom minimamente cortês. – É um erro possível apenas de um lado, ou seja, somente as pessoas comuns podem se enganar assim. De fato, muitas vezes essas pessoas se veem como seres pensantes e originais. Mas não há perigo nisso, o senhor não precisa se preocupar. Pessoas comuns não têm o espírito nem a força de vontade das extraordinárias para realizar grandes feitos, muito menos cometer um crime.

– De toda maneira, sigo preocupado. Será que há muitas pessoas pelo mundo que tem... como dizer? Que tem o direito de fazer picadinho das outras pelo simples fato de serem "extraordinárias"?

– Ah, não há com o que se preocupar, não mesmo – continuou Raskólnikov, no mesmo tom. – Pessoas extraordinárias nascem muito raramente. Uma em um milhão, eu diria. Mas existem e devem existir.

– Está falando sério, Ródia? – interrompeu Razumíkhin, perturbado. – Acredita mesmo que há pessoas que tem o *direito* de matar?

Raskólnikov apenas virou o rosto pálido e triste para o amigo e nada respondeu. Estranhamente, pareceu a Razumíkhin que por trás daquela palidez e tristeza havia um sarcasmo imenso para com Porfiri Petróvitch.

– Certo, certo – continuou Porfiri, como se ainda não estivesse satisfeito. – Já está quase tudo claro agora... Mas, desculpe o incômodo, tenho ainda uma questão. Imagine que um Maomé ou um Napoleão do futuro tenha grandes planos e um longo caminho pela frente. Para trilhar esse caminho e superar todos os obstáculos, ele precisa de dinheiro, não é assim? Para obter esse dinheiro ele poderia... Bem, o senhor me entende.

Inesperadamente, Zamiótov, que até então permanecera no mais completo silêncio, embora acompanhasse com toda atenção a conversa toda, tossiu ruidosamente. Raskólnikov não se deu ao trabalho de olhar em sua direção.

– Sou obrigado a concordar – respondeu calmamente. – Existem casos assim, em que é necessário roubar, casos em que se precisa de dinheiro. Mas, em geral, são as pessoas comuns que pensam assim e encontram qualquer motivo para roubar. Essas devem ser presas.

– Mas toda pessoa que comete um crime deve ser presa! – exclamou Razumíkhin, incrédulo. – Ou você está me dizendo que essas tais "pessoas extraordinárias" podem derramar quanto sangue quiserem sem que sofram as consequências?

– Bem, elas podem se arrepender e sofrer, se tiverem pena da vítima... O sofrimento e a dor são sempre essenciais para ampliar a consciência e aprofundar os sentimentos. A meu ver, as pessoas extraordinárias, as grandes figuras, devem experimentar uma grande tristeza – concluiu Raskólnikov, pensativo.

Dito isso, olhou para cada um dos presentes, sorriu e pegou seu boné. Sentia-se imensamente calmo, embora não pudesse dizer o porquê. Levantou-se para ir embora e todos, com exceção de Zamiótov, levantaram-se atrás dele.

– Bem, se me permite ainda uma última pergunta – recomeçou Porfiri Petróvitch, acompanhando Raskólnikov e Razumíkhin até a porta. – Acabou de me passar pela cabeça.

Raskólnikov assentiu. Os três pararam na antessala, já diante da porta.

– Será que o senhor, fosse por ter grandes planos para a humanidade, fosse por simples confusão de que tipo de pessoa é, teria coragem de passar por cima dos obstáculos? Ou seja, será que teria coragem de matar alguém?

Curiosamente, ao dizer isso, Porfiri Petróvitch parecia ter piscado o olho esquerdo, soltando um risinho abafado em seguida.

– Se eu tivesse, certamente não contaria ao senhor – respondeu Raskólnikov, com desdém.

– Só perguntei porque...

– Veja, Porfiri Petróvitch – interrompeu ele, seco –, não me considero nenhum novo Napoleão.

– Ora, meu querido, hoje em dia, na nossa Rússia, que jovem não se considera um Napoleão? – respondeu Porfiri, sorrindo por alguma razão. – Não teria sido um novo Napoleão que matou Aliona Ivánovna com um machado?

Calado, Raskólnikov ficou olhando fixa e seriamente para Porfiri. Razumíkhin permaneceu parado a seu lado, com o ar sombrio e cenho carregado. Já desde algum tempo percebia que havia algo no ar. Arrastou-se ainda um minuto de silêncio até que Raskólnikov deu um passo à frente e abriu a porta.

– Já vão mesmo? – perguntou Porfiri, carinhosamente, estendendo a mão para eles. – Muito, muito prazer em conhecê-lo. Sobre seu pedido,

CRIME E CASTIGO

faça como eu lhe disse: escreva diretamente à polícia, terá seus pertences devolvidos. Aliás, vá pessoalmente até lá e procure por mim.

– O senhor quer me interrogar?

– Ah, não, não oficialmente, não. É que o senhor esteve com Aliona Ivánovna antes de sua morte, não foi? Talvez tenha notado algo de interessante. A que horas esteve lá?

– Entre as sete e as oito – respondeu Raskólnikov, maquinalmente, percebendo em seguida que não deveria ter dito nada.

– Esplêndido! E não teria notado dois pintores? Estavam trabalhando no segundo andar, o apartamento ficou aberto o tempo todo.

– Pintores? Não, não me lembro.

– Mas o que está dizendo? – interrompeu Razumíkhin, irritado. – Os pintores estavam no prédio no dia do assassinato, e Ródia esteve lá três dias antes!

– Ah, é mesmo! Parece que me confundi – respondeu Porfiri, inocentemente. – Bem, mil perdões neste caso. Adeus, aguardo sua visita na delegacia.

Despediram-se definitivamente. Raskólnikov e Razumíkhin atravessaram o corredor e desceram a escada no mais completo silêncio. Já na rua, por muito tempo não disseram nada, cada um perdido em seus próprios pensamentos.

CAPÍTULO 19

Razumíkhin estava incomodado e impressionado negativamente com as coisas que ouvira de Raskólnikov há pouco.

– Não acredito! Não posso acreditar! – repetia a todo momento.

Eles agora se aproximavam do Edifício Bakaléiev, onde Pulkhéria Aleksándrovna e Dúnia já os esperavam. Razumíkhin não podia crer que o amigo acreditasse, de fato, em todas as ideias que explanara na casa de Porfiri Petróvitch.

– Pois não acredite! – respondia Raskólnikov, rindo, indiferente.

– Por que Porfiri estava agindo daquela maneira? Todas aquelas perguntas... E com aquele tom. E Zamiótov? O que fazia ali, afinal?

Raskólnikov deu de ombros.

– Porfiri Petróvitch está fazendo a investigação a seu modo. Mas devia falar as coisas abertamente, interrogar de uma vez e não ficar com perguntas enviesadas e joguinhos.

– É revoltante! E a pergunta sobre os pintores? Que bobagem! Ele bem sabe que você esteve na casa da velha há dias e que no dia do assassinato já estava doente.

Raskólnikov assentiu com a cabeça. Interiormente, não podia deixar de rir. Razumíkhin era mesmo um tolo simplório. Estava claro que Porfiri Petróvitch era um homem muito inteligente e desconfiava de Raskólnikov. O rapaz, porém, sentia-se estranhamente tranquilo naquele momento. Não havia testemunhas nem pistas que levassem até ele. O crime não seria descoberto.

Ao virarem a esquina que dava para rua de Pulkhéria Aleksándrovna, porém, uma inquietação tomou conta dele. Conforme se aproximavam do pátio de entrada, essa inquietação crescia mais e mais, até se tornar insuportável.

– Você pode entrar – disse Raskólnikov, de repente – Eu vou voltar.

– Aonde você vai? Já estamos chegando!

CRIME E CASTIGO

– Preciso resolver uma coisa... Volto daqui a meia hora... Avise elas.

– Não, senhor! Irei com você!

– Mas até você decidiu me atormentar! – gritou Raskólnikov, olhando para Razumíkhin com raiva, dando as costas em seguida e indo embora rapidamente.

O rapaz ficou parado à entrada do edifício por algum tempo. Por fim, apertando os dentes com raiva e cerrando os punhos, imaginando que espremia Porfíri Petróvitch como um limão, pôs-se a subir as escadas rumo ao apartamento de Pulkhéria Aleksándrovna, pensando em maneiras de tranquilizá-la quanto à demora e à ausência de Ródia.

Pouco depois, Raskólnikov chegava a seu quarto, ofegante. Rapidamente entrou, trancou a porta e lançou-se, desesperado, ao buraco entre o assoalho e a parede, onde dias atrás escondera os objetos roubados. Tateou tudo sofregamente, não teria ficado alguma coisa para trás? Não encontrando nada, respirou fundo e sentou-se no sofá. Enquanto caminhava com Razumíkhin, tivera a sensação de ter esquecido algo, algum anelzinho ou corrente, qualquer coisa que pudesse incriminá-lo. Sem forças, soltou um gemido baixo e deitou-se no sofá. Assim ficou por uma hora e meia.

Não pensava em nada. Alguns pensamentos passavam por sua mente de tempos em tempos, mas não se detinha em nenhum, deixava que passassem desordenados: rostos de pessoas, sinos de igrejas, conversas, lugares, tudo se misturava e girava como em um turbilhão. De algumas dessas lembranças gostava muito, mas nem assim conseguia se concentrar nelas por muito tempo. De tempos em tempos, sentia um ligeiro – e inexplicavelmente agradável – calafrio percorrer seu corpo.

Ouviu passos apressados no corredor e a voz conhecida de Razumíkhin. Imediatamente fechou bem os olhos, fingindo que estava dormindo. Razumíkhin abriu a porta e ficou ali parado, observando e pensando o que fazer. Afinal entrou e aproximou-se pé ante pé do sofá.

– Deixa-o quieto – ouviu a voz de Nastássia dizer – É melhor que continue dormindo.

– De fato – respondeu Razumíkhin.

Os dois saíram em silêncio e fecharam cuidadosamente a porta. Passou-se mais uma hora e meia. Raskólnikov abriu os olhos, virou-se de barriga para cima no sofá, colocando os braços atrás da cabeça. Dali a alguns minutos, sentiu como se começasse a delirar; estava febril.

"Maldita velha!", pensava. "Por que ainda me atormenta? Acaso não sei que matei não um ser humano, mas um princípio? O princípio da avareza, dos juros, do roubo, sim, foi esse o princípio que matei. Uma reles barata, um piolho que não fará falta a ninguém." Pensando nisso, desatou a rir, mas, subitamente, interrompeu o riso. "E Lizaveta? A pobre Lizaveta, o que tinha com o caso? Talvez seja eu o piolho."

Raskólnikov estava completamente coberto de suor, tinha os cabelos empapados, os lábios trêmulos e rachados, e mantinha os olhos arregalados, pregados no teto.

"Minha mãe, minha irmã, como eu as amava! Por que é que as odeio tanto agora? Sim, eu as odeio, odeio com todas as forças... Lembro que abracei minha mãe pensando no que ela diria... No que ela faria se soubesse o que eu fiz... Como eu odeio aquela velha, agora! E Lizaveta! Pobre Lizaveta! Por que é que ela foi voltar para casa? E Sônia... Com seus olhos tristes, tão doces... Por que choram? Sônia, Sônia..."

Assim passou o dia todo, ardendo em febre e atropelando os pensamentos. Ora pensava na velha, ora na mãe e na irmã, depois em Porfíri Petróvitch. Acontecia de cochilar, tinha pesadelos, andava pelas ruas de Petersburgo e sentia que era seguido por alguém, parecia que era observado de todos os lados por centenas de olhos. Despertava assustado, erguia-se no sofá e só então percebia que ainda estava em seu quarto. Logo, deitava-se novamente e caía no mesmo esquecimento de antes.

Já era noite quando Raskólnikov despertou mais tranquilo. A febre havia cedido um pouco, e ele sentia um cansaço imenso. Virando-se no sofá, teve a impressão de que alguém o observava pela porta entreaberta. Devia estar sonhando. Prendeu a respiração, mas, estranhamente, parecia que o sonho continuava: a porta estava entreaberta e, no umbral, havia um homem desconhecido que olhava de maneira fixa para Raskólnikov.

Deitado, não sentia forças nem para abrir os olhos por completo. "Será que ainda estou sonhando?", perguntou-se, tentando se concentrar e focalizar o quarto. De fato, ali, no umbral da porta, estava um homem completamente desconhecido, olhando para ele, como se estivesse ali parado há muito tempo, esperando tranquilamente que o rapaz acordasse. Parecia ser um homem já não tão jovem, corpulento, de cabelos e barba louros, onde se notavam alguns fios brancos.

– Diga o que quer de uma vez – disse Raskólnikov, com algum esforço.

– Eu bem sabia que o senhor não estava dormindo – respondeu o desconhecido, dando uma risada tranquila. – Permita que eu me apresente: Arkádi Ivánovitch Svidrigáilov.

CAPÍTULO 20

"Não é possível, ainda devo estar sonhando", pensou Raskólnikov mais uma vez, olhando atentamente para o inesperado visitante.

– Svidrigáilov? Que absurdo! – exclamou, confuso.

O visitante não demonstrou estar nem um pouco surpreso com aquela reação.

– Há duas razões que me trouxeram até aqui hoje – começou ele, tranquilamente. – A primeira é que tinha curiosidade de conhecer o senhor há muito tempo; e a segunda é que preciso de sua ajuda em um certo assunto, que é de interesse de sua irmã, Avdótia Románovna. Certamente, ela não tem a menor intenção de me ver outra vez, mas, com a sua ajuda, tenho certeza de que poderemos nos encontrar e resolver algumas questões.

– Está muito enganado – interrompeu Raskólnikov.

– Ela esteve aqui ontem, se posso perguntar?

Raskólnikov não respondeu.

– Esteve sim, eu bem sei – continuou Svidrigáilov. – Vim até aqui falar com o senhor e creio ter o direito de me apresentar e ser recebido sem nenhum preconceito.

Raskólnikov continuou calado e observou o visitante de cima a baixo.

– O que em sua casa certamente contam é que eu "ofendi" sua irmã com palavras e ações torpes, não é assim? Mas a grande questão é: serei eu o carrasco ou a vítima? E eu lhe afirmo, Rodion Románytch, a vítima nessa história sou eu. Sim, eu e apenas eu. Minhas mais sinceras declarações de amor e muitas propostas de fuga foram categoricamente rechaçadas. Fui rejeitado e até humilhado. Fui eu quem mais sofreu com isso tudo, pode acreditar!

– A questão não é essa – respondeu Raskólnikov com repugnância. – A questão é que o senhor é asqueroso, e não tenho a menor vontade de conhecê-lo, vá embora!

CRIME E CASTIGO

Surpreendentemente, Svidrigáilov se pôs a gargalhar.

– O senhor vai direto ao ponto! – disse, rindo abertamente. – Bem, mas é preciso dizer: nada de mais teria acontecido se não tivessem me encontrado com Avdótia Románovna no jardim. Naquele dia, Marfa Petróvna...

– Marfa Petróvna? A esposa a quem o senhor deu um fim? – interrompeu grosseiramente Raskólnikov.

– Ah, o senhor ouviu falar disso também? E como não teria ouvido... Posso lhe garantir que, quanto a isso, minha consciência está mais do que tranquila. Não tive nada a ver com o que aconteceu à Marfa Petróvna; foi uma fatalidade. O vinho, depois o banho quente, o senhor sabe, uma indigestão. O médico mesmo disse.

Foi a vez de Raskólnikov dar risada.

– O senhor gosta de inventar histórias!

– Do que o senhor está rindo? Não acredita, é? – respondeu Svidrigáilov, com um sorriso um tanto debochado. – Fique sabendo que eu bati em minha mulher duas vezes apenas. Duas únicas vezes. Sim, foi com um chicote, é verdade, mas nem ficaram marcas... Acredite ou não, Marfa Petróvna pode até ter ficado contente com isso. Fazia já três dias que ela não saía de casa, não tinha nada para contar para ninguém, nem uma novidadezinha. Mas depois da surra que levou, imagine só! Mandou atrelar a carruagem e foi direto à cidade. É o que dizem, há mulheres que gostam de apanhar e serem ofendidas, não lhe parece?

Por um momento, Raskólnikov pensou em se levantar e ir embora para colocar fim àquela conversa. Mas a curiosidade o segurava ali.

– O senhor gosta de arranjar briga?

– Oh, não, não, nem um pouco – respondeu tranquilamente Svidrigáilov – Eu e Marfa Petróvna praticamente nunca brigávamos. Vivíamos muito bem juntos, e ela estava sempre satisfeita comigo. E sejamos francos: em sete anos de casamento, o que é pular a cerca uma ou duas vezes apenas? – ao dizer isso, deu uma piscadela – Por acaso sabe como eu e Marfa Petróvna nos conhecemos e viemos a nos casar?

– Não e não faço a mínima questão de saber – respondeu ele, seco.

129

– É uma história interessante – continuou Svidrigáilov, não dando a menor atenção à resposta de Raskólnikov. – Certa feita, há sete anos, meti-me em uma enrascada tremenda, dívidas, coisas de jogo, o senhor bem pode imaginar. Devia setenta mil rublos ao todo. Foi nessa época que conheci Marfa Petróvna. Uma mulher de caráter forte, Rodion Romántych, muito forte. Ficou interessada em mim, logo inteirou-se de minha dívida e conseguiu um acordo, negociando uma quantia menor, mas ainda assim significativa, com o credor. Em seguida, nós nos casamos e fomos para o campo, viver em sua propriedade.

– Em outras palavras, o senhor foi comprado – resumiu Raskólnikov, acrescentando sarcasticamente –, e Marfa Petróvna adquiriu uma mercadoria de péssima qualidade.

Svidrigáilov outra vez deu uma gargalhada, como se de fato achasse graça na observação mordaz de Raskólnikov.

– Isso, meu caro rapaz, talvez não seja de todo mentira – respondeu, ainda sorrindo, e então acrescentou: – O senhor acredita em fantasmas?

– Em quê?

– Em fantasmas. Marfa Petróvna apareceu para mim três vezes. A primeira vez foi logo no dia seguinte ao enterro. Já era tarde da noite, ela entrou no quarto e disse: "Arkádi Ivánitch, você se esqueceu de dar corda no relógio da sala", e então desapareceu. De fato, eu não havia dado corda no relógio, o senhor acredita? A segunda vez foi logo antes de vir para a capital, estava preparando a mala e ela apareceu outra vez. Disse assim: "Arkádi Ivánitch, não quer que eu tire sua sorte antes de você viajar?". Ela tirava a sorte muito bem, sabe, e eu disse: "Não, Marfa Petróvna, agradeço, mas não é necessário". E a terceira vez foi...

– Mas o que o senhor quer, afinal? – interrompeu Raskólnikov, irado. – Não veio até aqui falar de fantasmas e aparições!

– Oh, não, não... – riu Svidrigáilov com naturalidade. – Como já disse, vim tratar de sua irmã e seu noivado com o senhor Lújin.

Raskólnikov franziu o cenho.

– Tenho certeza de que o senhor já teve a oportunidade de conhecer o senhor Piotr Petróvitch Lújin, parente distante de minha finada

CRIME E CASTIGO

esposa, portanto já deve ter uma opinião formada a seu respeito. Ele não é, absolutamente, par para Avdótia Románovna. No meu ponto de vista, ao se casar, sua irmã está se sacrificando em nome da família. Pelo pouco que ouvi falar a seu respeito e pela nossa breve conversa aqui agora, posso imaginar que o senhor não está nem um pouco satisfeito com essa situação.

– O senhor é mesmo muito atrevido!

– Pode ser, mas tenho boas intenções – respondeu, sempre sorrindo, como se tratasse do mais simples dos assuntos. – Ao vir para Petersburgo, a verdade é que tinha a intenção de acabar com esse noivado e pedir eu mesmo a mão de sua irmã, agora que sou viúvo, o senhor entende... Mas acabei mudando de ideia. Avdótia Románovna é orgulhosa e tem lá seus motivos para me rejeitar. De toda forma, Lújin não é para ela. Por isso vim procurar o senhor: quero que me leve até sua irmã, que esteja presente enquanto eu converso com ela para convencê-la a desmanchar o compromisso. Sei que será uma situação muito delicada, então pediria sua licença de oferecer a ela dez mil rublos para tornar tudo mais fácil.

– Como o senhor tem coragem de propor uma coisa dessas?!

– Eu bem sabia que a reação seria essa. Veja, não estou subornando sua irmã, não se trata disso. Trata-se de uma reparação por tudo o que passamos. Não sou rico, em absoluto, mas essa quantia tenho sobrando. E não pense que estou tirando dinheiro de meus filhos, eles estão bem assegurados pela herança da mãe. Dessa forma, tudo ficará resolvido e esquecido. Pretendo viajar em breve e...

– Viajar? – perguntou Raskólnikov, incrédulo.

– Ah, ainda não sei. Para a Europa, talvez até mesmo para a América, mas isso agora não importa... Como dizia, pretendo viajar em breve e por isso desejo resolver essa situação o quanto antes. Então? O que me diz? Vai dizer a Avdótia Románovna que desejo vê-la e resolver nossa situação?

– Não, de forma alguma.

– Nesse caso, meu caro rapaz, serei obrigado a arranjar as coisas por mim mesmo e encontrá-la a sós.

– E se eu falar com ela, o senhor deixará de procurá-la?

– Tinha a esperança de vê-la ainda uma vez.

– Pois não tenha.

– É uma pena. O senhor não me conhece, Rodion Románovitch, poderíamos ser bons amigos.

– Acha mesmo? – perguntou Raskólnikov, com desprezo.

– E por que não? – rebateu Svidrigáilov, levantando-se para ir embora. – Não sou tão mau quanto pintam. Ah, sim! Já ia me esquecendo: avise sua irmã que ela foi contemplada pelo testamento de Marfa Petróvna. Três mil rublos.

– E isso é verdade?

– A mais pura verdade. Bem, então até à vista, espero. Adeus.

Ao sair, Svidrigáilov esbarrou em Razumíkhin.

CAPÍTULO 21

Já eram quase oito horas e ambos se apressaram em ir ao edifício Bakaléiev, tentando chegar lá antes de Lújin.

– Quem era aquele? – perguntou Razumíkhin, assim que chegaram à rua.

– Era Svidrigáilov, o senhor de terras que ofendeu e humilhou minha irmã, quando ela trabalhava de governanta. Foi por causa das suas declarações de amor que Dúnia foi mandada embora pela esposa dele, Marfa Petróvna. Agora, essa Marfa Petróvna já morreu, mas perdoou tudo. Você já deve estar sabendo disso. É um homem muito estranho esse Svidrigáilov, não sei por que tenho como se fosse medo dele. Precisamos proteger Dúnia.

– Tem toda razão, meu amigo. Obrigado por ter me contado isso.

Chegaram ao edifício, subiram em silêncio as escadas e no corredor deram de cara com Lújin. Os três entraram juntos, mas não se cumprimentaram, nem mesmo se olharam diretamente. Os jovens entraram antes, e Piotr Petróvitch, para manter o bom-tom, deteve-se na sala de entrada para tirar o casaco, sendo recebido ali mesmo por Pulkhéria Aleksándrovna.

Piotr Petróvitch adentrou a sala e cumprimentou gentilmente as damas com uma reverência. Apesar disso, parecia um tanto incomodado. Pulkhéria Aleksándrovna, por sua vez também um tanto atarantada, tratou logo de acomodar todos em volta da mesa, sobre a qual fervia o samovar. Acabou que Dúnia e Lújin ficaram sentados um de frente para o outro, cada qual em uma extremidade da mesa, Pulkhéria Aleksándrovna sentou-se de um lado da mesa e Raskólnikov e Razumíkhin, do outro, este mais perto de Lújin e o outro mais perto da irmã.

Seguiu-se um longo silêncio.

– Espero que tenham feito uma boa viagem – disse Piotr Petróvitch, por fim, dirigindo-se cerimoniosamente a Pulkhéria Aleksándrovna.

– Sim, graças a Deus, Piotr Petróvitch.

– Folgo em saber. E Avdótia Románovna não se cansou?

– Ainda sou jovem e forte, não me canso, mas foi uma viagem difícil para mamãe – respondeu Dúnia.

– O que fazer, não é? As estradas da nossa Rússia são assim longas e cansativas. Embora quisesse muito, não pude encontrá-las ontem. Espero que tudo tenha corrido sem grandes dificuldades.

– Ah, sim, Piotr Petróvitch – respondeu Pulkhéria Aleksándrovna. – Tudo correu bem e parece que Deus se encarregou de nos enviar um bom guia e amigo: o senhor Razumíkhin, Dmitri Prokófievitch.

– Sim, claro, ainda ontem tive o prazer... – murmurou Lújin, acenando discretamente com a cabeça para Razumíkhin.

Voltaram a se calar. Raskólnikov não dissera palavra desde que entrara, Dúnia não tinha vontade de interromper o silêncio, e Razumíkhin simplesmente não tinha nada a dizer, de maneira que Pulkhéria Aleksándrovna começou outra vez a se preocupar.

– O senhor ficou sabendo que Marfa Petróvna morreu?

– Sim, fiquei sabendo. E ouvi também um boato, que há pouco pude confirmar, de que Arkádi Ivánovitch Svidrigáilov veio a São Petersburgo logo depois do enterro. Vim alertá-las a esse respeito.

– Ele veio para cá? Para Petersburgo? – perguntou Dúnia, angustiada, trocando um olhar com a mãe.

– Precisamente. E não veio à toa, como podem imaginar.

– Oh, Deus! Será que nem aqui ele deixará Dúnia em paz?

– Creio que nem a senhora nem Avdótia Románovna tenham motivos suficientes para se preocupar. De minha parte, estou averiguando o caso e pretendo descobrir onde ele está hospedado.

– Ah, Piotr Petróvitch, o senhor não imagina o quanto me deixou assustada! – continuou Pulkhéria Aleksándrovna. – Só o vi duas vezes na vida e já bastou para que eu o achasse terrível! Tenho certeza de que ele é o culpado da morte de Marfa Petróvna.

CRIME E CASTIGO

– Isso não podemos afirmar. Mas tenho informações bastante precisas a respeito de outros assuntos. Sei que Marfa Petróvna, além de ter tido a infelicidade de amar Svidrigáilov e pagar suas dívidas, oito anos atrás, também fez todo o possível para abafar um processo criminal que o envolvia. Uma história horrorosa, que certamente o mandaria direto para a Sibéria. É o mais pervertido e devasso dos homens, eis o que é.

– Oh, Deus! – exclamou Pulkhéria Aleksándrovna. Raskólnikov ouviu atentamente.

– O senhor tem certeza dessas informações? – perguntou Dúnia, séria.

– Digo apenas o que me contou, em segredo, a finada Marfa Petróvna. Do ponto de vista jurídico, a coisa toda é muito obscura. Diz-se que morava aqui uma senhora alemã que recebia penhores e tratava de outros negócios escusos. Svidrigáilov tinha uma relação muito próxima com essa senhora. Com ela vivia uma parenta distante, uma mocinha de 15 ou 16 anos, surda e muda, que Svidrigáilov odiava profundamente, não se sabe o porquê. Parece até que batia nela com frequência. Um dia, encontraram a mocinha enforcada no sótão. Concluíram que foi suicídio. Pouco tempo depois findaram as relações de Svidrigáilov com a tal senhora alemã. Depois disso surgiram todo tipo de boatos... Mas não houve nenhuma acusação formal, nenhum processo, graças à intervenção e ao dinheiro de Marfa Petróvna. Mesmo assim, foram boatos bastante significativos. A senhora, Avdótia Románovna, certamente ouviu falar do caso do servo Filipp, que morreu de maus-tratos na propriedade de Svidrigáilov e Marfa Petróvna.

– Ouvi dizer que Filipp se enforcou.

– Mais correto seria dizer que quem o enforcou foi o sistema de castigos do senhor Svidrigáilov.

– Piotr Petróvitch, paremos de falar do senhor Svidrigáilov. Isso me aborrece imensamente.

– Ele veio falar comigo hoje – disse Raskólnikov, rompendo seu silêncio pela primeira vez.

Todos os olhares se voltaram para ele. Até mesmo Piotr Petróvitch ficou nitidamente perturbado.

135

Fiódor Dostoiévski

– Foi há pouco mais de uma hora – continuou Raskólnikov. – Eu estava dormindo, ele entrou, apresentou-se. Estava bastante alegre e tinha a esperança de que eu me unisse a ele, pois quer muito se encontrar com você, Dúnia. Disse que tem uma proposta. Além disso, informou que Marfa Petróvna lembrou-se de você no testamento: deixou três mil rublos, que podem ser recebidos o quanto antes.

– Graças a Deus! – exclamou Pulkhéria Aleksándrovna, benzendo-se. – Reze por ela, Dúnia, reze!

– É verdade mesmo – deixou escapar Lújin.

– E o que mais? – quis saber Dúnia.

– O que ele quer propor a Dúnietchka? – perguntou Pulkhéria Aleksándrovna, atrapalhada. – Ele disse?

– Disse.

– E então?

– Depois eu conto – respondeu Raskólnikov, calando-se e voltando a atenção para seu chá.

Piotr Petróvitch tirou o relógio de bolso e olhou as horas.

– Preciso partir impreterivelmente para resolver alguns assuntos, e assim também não as incomodarei mais – disse, e levantou-se para ir embora.

– Fique, Piotr Petróvitch – disse Dúnia. – O senhor mesmo disse que ficaria esta noite conosco e que tinha algo a falar com minha mãe.

– Precisamente, Avdótia Románovna – começou ele, grandiloquente –, necessitava falar com sua mãe e esclarecer alguns pontos. Porém, uma vez que seu estimado irmão não pode falar diante de mim qual é a proposta do senhor Svidrigáilov, da mesma forma eu não desejo falar diante dele... E de outras pessoas. Afinal, o meu pedido inicial não foi atendido...

– O seu pedido para que meu irmão não estivesse presente não foi atendido única e exclusivamente por vontade minha – disse Dúnia. – O senhor escreveu que meu irmão o ofendeu, e eu acredito que seja necessário resolver essa questão o quanto antes e fazer as pazes. Se Ródia, de fato, ofendeu o senhor, então *deve* e *irá* pedir desculpas.

CRIME E CASTIGO

No mesmo instante, Piotr Petróvitch se fez de rogado.

– Há certas ofensas, Avdótia Románovna, que não podem de maneira alguma ser esquecidas.

– Que fique claro, Piotr Petróvitch – continuou Dúnia, impaciente –, que o nosso futuro depende, agora, de resolvermos esta situação e sem demora. Do contrário, não poderei levar adiante o compromisso. E repito: se meu irmão é culpado perante o senhor, ele há de pedir desculpas.

– Muito me surpreende sua postura, Avdótia Románovna – observou Lújin, cada vez mais irritado –, é possível adorar a senhora como eu adoro e mesmo assim não gostar de algum membro de sua família. Não posso aceitar que...

– Deixe de melindres, Piotr Petróvitch – continuou Dúnia, já tomada pela emoção –, seja o homem sábio e nobre que eu o considero e quero continuar considerando. Entenda: se o senhor e meu irmão não fizerem as pazes, serei obrigada a escolher ou um ou outro. A questão está colocada para ambos, quero saber se são capazes de se entender por mim.

– Avdótia Románovna – começou Lújin –, suas palavras são muito significativas para mim e até mesmo ofensivas. Ao dizer essas coisas, a senhora deixa claro que está disposta a quebrar sua promessa. Fica claro, também, que a senhora não gosta tanto de mim quando afirma gostar...

– Ora! – irritou-se Dúnia.

Raskólnikov permaneceu todo o tempo calado, com um sorriso mordaz, e o corpo inteiro de Razumíkhin tremia de raiva. Piotr Petróvitch, por sua vez, parecia ter tomado gosto pela discussão.

– O amor ao futuro marido deve suplantar o amor pelo irmão, é o que penso – sentenciou. – De toda forma, não sou capaz de perdoar seu irmão. É preciso esclarecer uma questão muito importante – e então dirigiu-se diretamente a Pulkhéria Aleksándrovna –, ontem, diante do senhor Razumíkhin – indicou Razumíkhin com um gesto um tanto teatral –, seu filho ofendeu-me dizendo que eu havia falado à senhora que tinha o desejo de tomar por esposa uma moça pobre e desvalida que seria grata e obediente a mim pelo resto da vida. Gostaria de saber com que palavras a senhora, Pulkhéria Aleksándrovna, referiu-se ao meu pedido de casamento.

– Bem... – começou ela, pensativa. – Não me lembro exatamente... Escrevi mais ou menos como me lembrava de ter ouvido do senhor.

– Pois ele nada teria dito se a senhora não tivesse escrito que...

– Piotr Petróvitch – interrompeu Pulkhéria Aleksándrovna, visivelmente ferida em seus brios. – O fato de eu e Dúnia estarmos aqui é a prova maior de que acreditamos em suas boas intenções!

– Muito bem, mãezinha! – disse Dúnia.

– Então quer dizer que a culpa é minha? – ofendeu-se Lújin.

– Pois o senhor, Piotr Petróvitch, acusa Ródia de ofendê-lo, mas esquece que o senhor mesmo escreveu uma inverdade a respeito dela em sua carta – acrescentou Pulkhéria Aleksándrovna.

– Não me lembro de nenhuma inverdade.

– O senhor escreveu – disse Raskólnikov, sem olhar para Lújin – que eu ontem dei todo meu dinheiro à viúva e à filha de um funcionário atropelado, o que é verdade. Porém o senhor o fez com a intenção de me indispor com minha família, acrescentando comentários maldosos a respeito da conduta de uma moça que o senhor não conhece.

– Queira perdoar, meu caro – respondeu Lújin, tremendo de raiva –, pelo que me lembro comentei o estado de sua saúde e o fato de ter dado dinheiro a uma família de poucas condições que, infelizmente, tinha um membro de conduta discutível. Por acaso, o senhor deixaria que uma moça como aquela conhecesse sua mãe e sua irmã?

– Já fiz isso. Ontem mesmo, ela esteve em minha casa e sentou-se ao lado de mamãe e Dúnia. E fique sabendo, senhor Lújin, que o senhor não vale um dedo mindinho de Sófia Semiónovna.

Dúnia corou, Razumíkhin cerrou ainda mais o cenho. Lújin abriu um sorriso mordaz, olhando para Raskólnikov com arrogância.

– Veja a senhora mesma, Avdótia Románovna – disse –, será possível que eu concorde com isso? Espero que o assunto esteja encerrado de uma vez por todas. Vou embora para não atrapalhar mais a reunião de família. Devo observar, contudo, que de hoje em diante espero ser poupado de encontros como este. Acredito que a senhora, Pulkhéria Aleksándrovna, deva zelar para que isso não se repita.

Pulkhéria Aleksándrovna ficou um tanto ofendida.

– O senhor acha que pode ficar nos dando ordens, Piotr Petróvitch. Confiamos no senhor e agradecemos o que fez, mas entenda que não será possível levar isso adiante. O senhor pode seguir sua vida como sempre fez, já nós abrimos mão de tudo e viemos para cá. Estamos completamente desvalidas.

– Isso não é inteiramente verdade – observou Lújin, maldosamente. – Além dos três mil rublos que lhes deixou Marfa Petróvna, as senhoras têm em vista negociações secretas e certamente muito agradáveis com o senhor Arkádi Ivánovitch Svidrigáilov.

– Deus do céu! – gritou Pulkhéria Aleksándrovna.

Razumíkhin ergueu-se da cadeira.

– Não tem vergonha disso, minha irmã? – perguntou Raskólnikov.

– Tenho, Ródia, e muita! – respondeu Dúnia, pálida de raiva – Piotr Petróvitch, vá embora daqui!

Piotr Petróvitch, ao que parecia, não esperava aquele desfecho. Não podia acreditar no que estava acontecendo, pois era demasiadamente seguro de si. Empalideceu e seus lábios começaram a tremer.

– Avdótia Románovna, se eu sair por aquela porta, ouça bem, não voltarei nunca mais.

– Que descaramento! – exclamou Dúnia. – Eu não quero mesmo que o senhor volte!

– Co-como? – rebateu Lújin, completamente surpreso e confuso. – Pois saiba, Avdótia Románovna, que eu tenho o direito de protestar.

– Que direito o senhor tem de falar assim com ela? – interveio Pulkhéria Aleksándrovna com ardor. – Protestar o quê? Jamais deveria ter consentido em dar a mão de minha Dúnia a um qualquer como o senhor! Vá embora!

– Acontece, Pulkhéria Aleksándrovna, que as senhoras me deram sua palavra e agora a estão retirando... E eu... Eu tive despesas para...

Esse tipo de constatação era tão típico de Lújin que Raskólnikov, também pálido de raiva, não pôde deixar de soltar uma sarcástica gargalhada. Pulkhéria Aleksándrovna, por sua vez, saiu completamente de si:

– Despesas?! Que despesas? Pois fomos eu e Dúnia que gastamos nossas últimas economias para vir até aqui! O senhor só nos arranjou este quartinho miserável e ainda fala como se estivéssemos extorquindo o senhor! É um absurdo!

– Basta, mãezinha, basta! – disse Dúnia. – Piotr Petróvitch, tenha a bondade de ir embora.

– Vou embora, mas antes uma última palavra! – disse ele, já quase não se aguentando. – Sua mãe parece estar esquecendo que eu propus tomá-la como noiva depois de sua reputação ter sido alvo dos piores boatos por toda a cidade. Não dei ouvidos a nada e, por isso, poderia muito bem esperar algum tipo de gratidão de sua parte, mas não... Agora meus olhos se abriram! Fui tolo ao desprezar a opinião pública...

– Está querendo levar uma surra! – gritou Razumíkhin, erguendo-se de um salto e preparando-se para cair em cima de Lújin.

– Não! Não diga nem faça nada! – exclamou Raskólnikov, detendo o amigo. Em seguida, aproximou-se de Lújin e disse baixa e pausadamente: – Vá embora e não diga nem mais uma palavra.

Piotr Petróvitch olhou por alguns segundos para o rosto pálido e irado de Raskólnikov. Em seguida, virou-se e foi embora, sentindo um ódio tremendo no peito. Era tudo culpa dele, daquele Raskólnikov. Profundamente ofendido e irritado, desceu as escadas, imaginando como remediar a situação. "Isso não vai ficar assim", pensava Lújin enquanto seguia seu caminho para casa. Mal sabia ele que ainda teria muitas dores de cabeça pela frente...

CAPÍTULO 22

– Sou eu a culpada de tudo! – dizia Dúnia, abraçando e beijando a mãe. – Me deixei tentar pelo dinheiro dele, mas não imaginava que fosse um homem tão desprezível. Se eu soubesse... Ah, não, não me julgue, meu irmão!

– Foi Deus! Deus nos salvou! – murmurava Pulkhéria Aleksándrovna, quase inconscientemente, como se ainda não tivesse digerido tudo o que havia acontecido.

Dali a pouco, porém, tudo se alegrou e eles chegaram mesmo a dar boas risadas. Somente Dúnia, vez por outra, empalidecia e franzia o cenho ao se lembrar do que havia acontecido. Pulkhéria Aleksándrovna não podia nem imaginar que ficaria tão feliz como estava. Naquela manhã, o possível rompimento com Piotr Petróvitch Lújin parecia-lhe uma terrível desgraça, mas agora ela o encarava como a melhor das novidades. Razumíkhin, por sua vez, estava em êxtase. Não podia demonstrar abertamente, mas sentia o corpo tremer como se tivesse febre e o coração bater acelerado. Agora ele podia dar tudo a elas, dedicar-se por completo, faria tudo que pudesse para ajudá-las! Ao mesmo tempo, sentia medo do que estava por vir, e tentava afastar os pensamentos sobre o futuro. Somente Raskólnikov permanecia sentado no mesmo lugar, distraído e um tanto sombrio. Agora que Lújin havia ido embora para sempre, parecia não querer mais estar ali. Dúnia achava que ele tinha raiva dela, enquanto Pulkhéria Aleksándrovna o observava com receio.

– O que foi que Svidrigáilov disse? – perguntou Dúnia, aproximando-se do irmão.

– Ah, sim! O quê? – quis saber Pulkhéria Aleksándrovna.

Raskólnikov ergueu a cabeça:

Fiódor Dostoiévski

– Ele quer presentear Dúnia com dez mil rublos e, para fazer isso, quer vê-la uma última vez, em minha presença.

– De jeito nenhum! – gritou a mãe. – Como ele tem coragem de oferecer dinheiro?!

Então Raskólnikov contou (de maneira bastante seca e resumida) a conversa que tivera com Svidrigáilov. Só não mencionou a suposta visão do fantasma de Marfa Petróvna, para que a mãe não ficasse impressionada e enveredasse a conversa por tortuosos caminhos metafísicos.

– E o que você lhe disse? – perguntou Dúnia.

– Primeiro, disse que não daria recado nenhum. Mas ele deixou claro que, se eu não falasse nada, arranjaria um jeito de ver você a sós. Disse que não sente mais nada, que aquela paixão foi uma extravagância, mas que, de toda forma, não queria que você se casasse com Lújin...

– O que você acha de tudo isso, Ródia? O que lhe parece?

– Não acho nada. Ele disse que vai dar dez mil rublos, mas afirma que não é rico. Disse que vai fazer uma longa viagem, mas não sabe para onde. Parece que pretende alguma coisa, é claro, e seus planos são maldosos, não se pode esperar outra coisa dele. Mas por que me procuraria se quisesse fazer mal à Dúnia? Iria direto até vocês... E por que quer se desfazer de tanto dinheiro? É um homem muito estranho. Parece que a morte de Marfa Petróvna o deixou atordoado.

– Deus a tenha em bom lugar! – exclamou Pulkhéria Aleksándrovna – Vou rezar por ela a vida toda! O que seria de nós sem esses três mil, Dúnia! Caíram do céu! Imagine, Ródia, de manhã tínhamos três moedinhas só.

Dúnia parecia ter ficado muito impressionada com o surgimento de Svidrigáilov e com a proposta dos dez mil rublos. Continuava ali, de pé no meio da sala, em silêncio.

– Ele está tramando alguma coisa! – disse, quase em um sussurro, por pouco não tremendo.

Raskólnikov notou aquele indício de medo.

– Terei de vê-lo outra vez – disse.

CRIME E CASTIGO

– Vamos segui-lo! – gritou energicamente Razumíkhin. – Não vou tirar os olhos dele! Ródia me autorizou. Ele disse: "proteja minha irmã". A senhora me dá permissão, Avdótia Románovna, de protegê-la?

Dúnia sorriu e estendeu-lhe a mão, mas a preocupação não abandonou seu rosto. Pulkhéria Aleksándrovna olhava, tímida, para a filha; a notícia dos três mil rublos de herança visivelmente a havia tranquilizado.

Passados alguns minutos, todos conversavam, alegres, a respeito de outros temas. Até mesmo Raskólnikov, embora não participasse diretamente da conversa, de tempos em tempos ouvia com atenção. Razumíkhin estava muito à vontade e falava pelos cotovelos. Contava seus planos de ganhar dinheiro fazendo traduções e dando aulas para depois, quem sabe, abrir a própria livraria. O rapaz expressava de todas as maneiras que não fazia sentido que Dúnia e a mãe voltassem para a cidadezinha natal, deveriam ficar ali, em São Petersburgo. Seria melhor assim, iriam construir uma nova vida, seriam todos amigos, não faltaria um ombro amigo. Os olhos de Dúnia brilhavam.

– Gosto muito do que o senhor diz, Dmitri Prokófitch.

– Eu, claro, não conheço nada aqui – ponderou Pulkhéria Aleksándrovna –, mas isso pode ser bom, não é? Deus é quem sabe – e acrescentou, olhando para Raskólnikov: – De toda forma, teremos de ficar aqui ainda uns dias...

– O que você acha, meu irmão?

– Acho que faz bem em ter planos – respondeu Raskólnikov. – Não tem por que ficar sonhando muito com isso, mas a ideia é boa e tenho certeza de que gerenciaria bem o negócio...

– Urra! – gritou Razumíkhin. – É de verdade um bom plano, não é? E eu até já procurei alguns lugares para instalar a livraria, inclusive há um apartamentozinho neste mesmo prédio que... Ródia, aonde vai?

– Já vai embora? – perguntou Pulkhéria Aleksándrovna, um tanto assustada.

– Neste mesmo minuto! – exclamou Raskólnikov.

Incrédula e surpresa, Dúnia olhava para o irmão, que já apanhara o boné e preparava-se para sair.

– Para que isso? Até parece que estou indo embora para sempre – disse ele e sorriu, mas era um sorriso tão estranho que nem parecia um sorriso. – Se bem que pode mesmo ser a última vez que nos vemos – acrescentou, sem pensar.

– Mas o que é isso?! – gritou a mãe.

– Aonde você vai, Ródia? – perguntou Dúnia, desconfiada.

– Preciso ir – respondeu vagamente, como se não tivesse certeza do que queria dizer. Em seu rosto pálido, porém, havia uma expressão firme e decidida.

– Eu queria dizer para vocês... Queria dizer, mãezinha, e dizer para você também, Dúnia, que é melhor nos separarmos por um tempo. Não me sinto bem... Depois eu venho, eu mesmo venho, quando... Eu venho. Amo vocês... Mas me deixem em paz. Me deixem sozinho. É minha decisão, peço que respeitem... É melhor assim... Pode ser que tudo se resolva, melhore... Se me amam mesmo, vão me deixar em paz. Basta, adeus!

– Oh, Senhor! – exclamou Pulkhéria Aleksándrovna.

Ela, a filha e Razumíkhin estavam completamente desnorteados com as palavras de Raskólnikov.

– Ródia, Ródia! Faça as pazes conosco! Volte! – gritava a mãe, pálida.

Ele deu as costas lentamente e foi saindo do quarto, dirigindo-se à porta. Dúnia foi atrás dele.

– Meu irmão! Veja o que está fazendo com nossa mãe! – sussurrou, com os olhos brilhando de indignação.

Raskólnikov devolveu o olhar:

– Não é nada demais, eu venho depois, já disse! – murmurou, sem saber bem o que dizer, saindo do quarto em seguida.

– Insensível! Egoísta! – gritou Dúnia.

Razumíkhin interveio.

– Ele não é insensível, está louco! Louco! Logo vamos esquecer tudo isso – disse, baixinho, apertando a mão de Dúnia com carinho. – Volto já! – gritou para Pulkhéria Aleksándrovna, que continuava sentada à mesa, sem saber o que fazer.

Raskólnikov o esperava no fim do corredor.

– Eu bem sabia que você viria atrás de mim – disse. – Volte para lá e fique sempre ao lado delas... Eu... Eu virei, se possível... Adeus!

Deu as costas para o amigo e seguiu seu caminho.

– Mas aonde vai? O que houve? Ora! – murmurava Razumíkhin, completamente perdido.

Raskólnikov parou outra vez.

– De uma vez por todas: não me pergunte nada. Não tenho nada a responder. Não vá à minha casa. Eu mesmo virei, se possível... Tem de me deixar em paz e... Cuidar delas. Está me entendendo?

O corredor estava escuro. Eles estavam parados perto de uma lamparina. Por um minuto, olharam um para o outro, em silêncio. Razumíkhin iria se lembrar daquele minuto pelo resto de sua vida. Os olhos ardentes e fixos de Raskólnikov pareciam ganhar força a cada instante e tomar conta de seus pensamentos e sua alma. De repente, Razumíkhin teve um sobressalto. Algo estranho aconteceu entre eles. Alguma coisa se insinuava ali, uma ideia, um indício. Então, alguma coisa terrível e hedionda ficou clara. Razumíkhin ficou pálido como um morto.

– Entendeu agora? – disse Raskólnikov, contorcendo o rosto. – Volte, fique com elas.

Virou-se rapidamente, sumiu pelo corredor e logo saiu do edifício.

Não é necessário contar como Razumíkhin voltou até Dúnia e Pulkhéria Aleksándrovna, como as reconfortou e tranquilizou dizendo que Ródia só precisava de descanso e nada mais, e que tudo ficaria bem. Em poucas palavras, basta dizer que Razumíkhin, daquele dia em diante, tornou-se para elas filho e irmão.

CAPÍTULO 23

Raskólnikov foi diretamente até o prédio junto ao canal, onde Sônia vivia. Era um prédio de três andares, antigo e pintado de verde. Atravessando o pátio e subindo uma escada estreita e muito escura, chegou ao segundo andar e começou a procurar o quarto da moça. Encontrou-o, afinal, e bateu à porta.

– Quem está aí? – perguntou uma trêmula voz feminina.

– Sou eu... Vim vê-la – respondeu Raskólnikov.

– Ah! É o senhor! – exclamou Sônia, abrindo a porta em seguida.

O quarto estava tão escuro quanto o corredor, por isso Sônia foi buscar uma vela e logo estava de volta, iluminando fracamente o cômodo. Ficou parada diante de Raskólnikov, desnorteada e visivelmente assustada com aquela visita inesperada. Parecia sentir vergonha, mas ao mesmo tempo, tinha prazer em recebê-lo ali. O rapaz, por sua vez, esquadrinhava o quarto.

Era um cômodo grande, mas muito baixo, o único que a família Kapernaúmov, que ocupava o cômodo ao lado, alugava. Além da porta do corredor, havia duas portas ali, trancadas à chave: uma dava para o quarto dos senhorios, e a outra, para um quarto vazio, já de outro apartamento e pertencente a outra senhoria, a senhora Resslich. A bem da verdade, o quarto de Sônia parecia mais um galpão do que a morada de alguém. Quase não havia móveis: em um canto, uma cama, perto dela, uma mesa coberta por uma toalha azul com duas cadeiras; no canto oposto, uma cômoda, que parecia ter sido colocada ali só para ocupar o espaço vazio. As paredes estavam cobertas por um papel amarelado que descascava em vários pontos. Era indiscutível a pobreza do lugar.

– Vim muito tarde... Já são onze horas? – perguntou Raskólnikov, sem erguer os olhos para Sônia.

– Já – murmurou a moça –, o relógio do vizinho acabou de bater.

CRIME E CASTIGO

– É a última vez que venho vê-la – continuou ele, sombrio, embora, na verdade, aquela fosse a primeira vez que visitava Sônia. – E, talvez, seja a última vez que nos vemos...

– O senhor vai... Viajar?

– Não sei... Amanhã descobrirei...

– Então não vai ver Katerina Ivánovna amanhã? – perguntou Sônia, com a voz fraca e trêmula.

– Não sei. Amanhã de manhã é que... Mas não se trata disso, vim falar de outro assunto...

Ele finalmente ergueu o olhar pensativo para a moça e só então notou que ela ainda estava de pé, diante dele.

– Mas por que está de pé? Sente-se – disse com voz suave e carinhosa.

A jovem sentou-se. Ele a olhou afavelmente e até com certa compaixão. Sem pensar, Raskólnikov pegou a mão de Sônia entre as suas.

– Que mãozinha pequenina!

Sônia sorriu suavemente. Ele deu mais uma olhada no quarto.

– A senhora aluga dos Kapernaúmov?

– Sim...

– E eles moram ali, depois daquela porta?

– Sim... Têm um quarto igualzinho a este.

– A senhora fica sempre sozinha?

– Sempre.

– Eu teria medo de ficar em um quarto como este – observou, de modo sombrio.

– Os senhorios são muito atenciosos – respondeu Sônia. – A mobília é deles também. São muito bondosos, os filhos vêm sempre me ver...

– E são todos gagos?

– Sim, a família toda... Só o filho mais velho que não... Mas como o senhor sabe disso?

– Seu pai me contou.

Sônia entristeceu-se.

– Eu o vi hoje – cochichou ela, um tanto insegura.

– Quem?

FIÓDOR DOSTOIÉVSKI

– Meu pai. Estava na rua, eram quase dez horas, ele vinha vindo em minha direção. Tenho certeza de que era ele. Eu estava indo ver Katerina Ivánovna...

Fizeram um minuto de silêncio.

– Katerina Ivánovna não batia na senhora?

– O quê? Ah, não, claro que não! – exclamou Sônia, olhando assustada para Raskólnikov.

– Então gosta dela?

– Gosto, é claro que gosto – respondeu a moça com a voz triste, tirando a mão das de Raskólnikov. – Ah! Se o senhor a conhecesse... Ela perdeu o juízo. Foram tantas desgraças... Antes era tão inteligente, tão boa, tão generosa!

Sônia dizia aquelas palavras em um estado de visível desespero, como se estivesse preocupada e sofresse muito, apertando as mãos. Via-se o pesar em seus olhos, e suas bochechas pálidas coraram ligeiramente. Ela queria dizer alguma coisa além do que estava dizendo de fato, algo que lhe causava um sofrimento inominável.

– Batia! Batia, sim! – extravasou, por fim. – Por que o senhor foi falar disso? Não sabe de nada, nada... Ela é uma mulher triste, uma infeliz! E doente... Mas...

– O que vai ser da senhora?

Sônia olhou-o interrogativamente.

– Dependem todos da senhora. Se antes já dependiam, agora dependem muito mais. Então, o que vai ser?

– Não sei... – pronunciou Sônia, com tristeza.

– Vão ficar lá mesmo?

– Não sei, precisam ficar, mas parece que a senhoria quer expulsá--los.

– Katerina Ivánovna está tísica e em fase avançada, logo vai morrer – observou Raskólnikov, com crueldade.

– Ah, não! Não diga isso!

– Pode ser até melhor que seja assim.

– Não, de jeito nenhum! Não diga isso! – repetia Sônia, assustada.

– E as crianças? Vão morar com a senhora?

– Não sei! – gritou Sônia e já em desespero agarrou a cabeça com as duas mãos. Estava claro que aqueles pensamentos há muito tempo já atormentavam a moça e que agora, diante de Raskólnikov e suas perguntas, tudo parecia ainda mais irremediável.

O rapaz levantou e começou a andar pelo quarto. Passou-se um minuto. Sônia estava calada, de cabeça baixa, presa em uma terrível aflição.

– Não tem como juntar dinheiro? Para um caso de necessidade? – perguntou, de repente, parando diante dela.

– Não... – sussurrou Sônia.

– Bem, é claro que não! O que estou dizendo!

Voltou a caminhar pelo quarto. Passou-se mais um minuto.

– A senhora recebe todos os dias?

Sônia ficou mais uma vez terrivelmente acanhada, o rosto ficou bastante ruborizado.

– Não... – sussurrou com esforço.

– Pólia deve seguir o mesmo caminho... – observou ele.

– Não! Não, não pode ser! Deus não vai permitir! – gritou Sônia, desesperada, como se tivesse sido esfaqueada.

– Acontece que Deus não existe.

Ao ouvir isso, a expressão do rosto de Sônia mudou por completo. Ela olhou para Raskólnikov com reproche indescritível, quis dizer alguma coisa, mas não conseguiu falar nada, e então começou a soluçar amargamente, cobrindo o rosto com as mãos.

Passaram-se mais alguns minutos. Raskólnikov continuava andando pelo quarto, calado, sem olhar para Sônia. Por fim, aproximou-se dela com os olhos brilhando. Segurou seus ombros com ambas as mãos e olhou diretamente para o rosto coberto de lágrimas. Seu olhar era aguçado e inflamado, e seus lábios tremiam. Inesperadamente, ele ajoelhou-se e baixou a cabeça, beijando os pés de Sônia. A moça, horrorizada, afastou-se dele, olhando-o como se tivesse ficado louco. E, de fato, ele parecia mesmo alguém que perdera a razão por completo.

– O que é isso? – murmurava ela, empalidecendo e sentindo um aperto no peito.

O rapaz se levantou no mesmo instante.

– Eu fico de joelhos não diante de você, mas sim diante de todo o sofrimento de toda a humanidade – falou de maneira um tanto selvagem, dirigindo-se à janela. – Ouça... Eu recentemente disse a um canalha que ele não vale um dedo mindinho seu, e que minha irmã teve a honra de se sentar com você.

– Mas por que o senhor disse uma coisa dessas? – exclamou Sônia, assustada. – Uma honra! Eu sou... Sou uma perdida... Uma pecadora é o que sou.

Ficaram em silêncio, Sônia de pé perto da mesa, olhando para o chão, e Raskólnikov junto da janela, observando-a atentamente e pensando a respeito de sua vida. "Ela tem três caminhos a seguir", pensava. "Pode se jogar no rio, pode ir parar em uma casa de loucos ou pode se entregar à devassidão por completo, fazendo-se de tola e endurecendo o coração." Essa última opção pareceu-lhe completamente repulsiva, mas era um jovem cético e até mesmo cruel, e justamente por isso aquele lhe parecia também o desfecho mais provável.

"Mas será possível", continuou consigo mesmo, observando a pobre Sônia, entregue às suas aflições. "Será possível que essa moça, que apesar de tudo conserva sua pureza, vá um dia atirar-se no fosso da devassidão? Não, se depois desse tempo todo ela continua a mesma, então não será esse o fim de sua história. Não se jogou no rio ainda porque seria *pecado* dar cabo da própria vida. E se ela até hoje não perdeu juízo... Mas quem foi que disse que não? Como dizer que ela está bem, gozando de plenas faculdades mentais? Será que uma moça normal se comportaria e falaria como ela? Não estaria à espera de um milagre? É bem possível. São sinais de loucura, certamente."

Deteve-se nesse pensamento. Pensando bem, este era o desfecho que lhe agradava mais do que qualquer outro, a loucura.

– Você reza muito a Deus, Sônia?

Ela continuou calada. Ele se aproximou e parou diante dela, esperando uma resposta.

CRIME E CASTIGO

– O que seria de mim sem Deus? – sussurrou ela, lançando um olhar rápido e inflamado a Raskólnikov, ao mesmo tempo em que agarrava sua mão.

"Eis aí", pensou ele.

– E o que foi que Deus fez por você? – perguntou, querendo saber aonde iriam chegar.

Sônia ficou calada por muito tempo, como se não pudesse pensar em uma resposta. Uma forte agitação tomava conta dela.

– Não me faça mais perguntas! Que direito o senhor tem? – gritou, de repente, olhando-o com raiva.

"Eis aí! Eis aí!", repetiu Raskólnikov consigo.

– Deus fez tudo por mim! – disse Sônia, sussurrante, e baixou os olhos outra vez.

"Eis aí o desfecho", sentenciou, olhando em direção à moça com ávida curiosidade.

Na cômoda, jazia um livro. Andando de um lado para outro no quarto, Raskólnikov já o havia notado antes, mas só agora se aproximava para pegá-lo de fato. Era o Novo Testamento, uma bíblia antiga, de segunda mão.

– É sua?

– Sim, trouxeram para mim – respondeu ela, a contragosto.

– Quem trouxe?

– Lizaveta. Eu que pedi...

– Que Lizaveta?

– Lizaveta Ivánovna, uma que vendia roupas.

"Lizaveta Ivánovna! Que estranho!", pensou. Tudo sobre Sônia lhe parecia cada vez mais estranho e maravilhoso. Ele pegou o livro, aproximou-o da vela e começou a folheá-lo.

– Aqui tem a parte do Lázaro? – perguntou.

Sônia olhava obstinadamente para o chão e nada respondeu.

– A ressurreição de Lázaro, onde está? Abra para mim, Sônia.

Ela olhou de esguelha para ele.

151

– Não está aí... Está no Quarto Evangelho... – cochichou ela, sem se aproximar.

– Encontre e leia para mim – disse ele e sentou-se à mesa, colocando os cotovelos sobre ela e apoiando a cabeça nas mãos. Não olhava para Sônia, mas sim pregara os olhos na parede.

A moça aproximou-se da mesa, indecisa e desconfiada do estranho pedido de Raskólnikov. Mesmo assim, pegou a Bíblia.

– O senhor nunca leu? – perguntou, sentando-se diante dele à mesa.

– Há muito tempo... Quando estudava. Leia!

– E nunca ouviu na igreja?

– Não, eu não ia à igreja... Você vai?

– Não...

Raskólnikov sorriu.

– Entendo... E amanhã também não vai? Ao enterro de seu pai?

– Vou. Na semana passada também fui... à missa de réquiem.

– De quem?

– De Lizaveta. Foi morta a machadadas.

Raskólnikov sentia os nervos aflorarem cada vez mais e mais. A cabeça começou a rodar.

– Você e Lizaveta eram amigas?

– Sim... Ela era muito justa. Vinha me visitar, às vezes, quando podia. Líamos juntas, conversávamos... Ela está com Deus agora.

Aquelas palavras ecoaram estranhamente na cabeça de Raskólnikov. Então, eram amigas, Sônia e Lizaveta. Que coincidência!

– Leia – pediu mais uma vez.

Sônia parecia não ter certeza do que fazer. Seu coração batia descompassado, e achava que não teria forças para ler. Afinal, folheou o livro e encontrou a parte que procurava. As mãos tremiam, e a voz falhava. Por duas vezes tentou começar, mas não conseguiu continuar.

– "Havia um homem chamado Lázaro. Ele era de Betânia..." – começou, por fim, com esforço e a voz tremendo a cada palavra.

Raskólnikov podia entender, em parte, por que Sônia não queria ler para ele, e quanto mais entendia, mais grosseiro e irritado se tornava.

CRIME E CASTIGO

Entendia muito bem que era difícil para ela compartilhar justamente com ele aquilo que julgava ser algo tão importante, tão sagrado, tão íntimo. Naquela família, com o pai bêbado, a madrasta louca e as crianças famintas, foram aquelas palavras que lhe deram alento. E depois, na vida que fora forçada a levar, aquelas palavras eram a única coisa que tivera – e ainda tinha – para si e somente para si. Enquanto pensava nisso, Sônia chegou ao versículo dezenove:

– "... e muitos judeus tinham ido visitar Marta e Maria para confortá-las pela perda do irmão. Quando Marta ouviu que Jesus estava chegando, foi encontrá-lo, mas Maria ficou em casa. Disse Marta a Jesus: 'Senhor, se estivesses aqui meu irmão não teria morrido. Mas sei que, mesmo agora, Deus te dará tudo o que pedires'."

A jovem parou novamente de ler, com recato, pressentindo que sua voz voltaria a tremer e falhar. Depois da pausa, continuou:

– "Disse-lhe Jesus: 'O seu irmão vai ressuscitar'. Marta respondeu: 'Eu sei que ele vai ressuscitar na ressurreição, no último dia'. Disse-lhe Jesus: 'Eu *sou a ressurreição* e a vida'" – leu Sônia, enfatizando a última frase. – "'Aquele que crê em mim, ainda que morra, viverá; e quem vive e crê em mim não morrerá eternamente. Você crê nisso?' Ela lhe respondeu:..." e, tomando fôlego, como se ela própria estivesse respondendo à pergunta, Sônia leu em alto e bom som: – "'Sim, Senhor, eu tenho crido que tu és o Cristo, o Filho de Deus que devia vir ao mundo'".

Interrompeu a leitura, ergueu os olhos e buscou o olhar de Raskólnikov, mas rapidamente os baixou novamente e voltou a ler. O rapaz continuava a ouvi-la imóvel. Chegaram ao versículo trinta e dois.

– "Chegando ao lugar onde Jesus estava e vendo-o, Maria prostrou-se aos seus pés e disse: 'Senhor, se estivesses aqui meu irmão não teria morrido'. Ao ver chorando Maria e os judeus que a acompanhavam, Jesus agitou-se no espírito e perturbou-se. 'Onde o colocaram?', perguntou ele. 'Vem e vê, Senhor', responderam eles. Jesus chorou. Então os judeus disseram: 'Vejam como ele o amava!'. Mas alguns deles disseram: 'Ele, que abriu os olhos do cego, não poderia ter impedido que este homem morresse?'."

Raskólnikov então voltou a olhar para Sônia. Ali estava a confirmação de sua hipótese: ela tremia inteira, como se tivesse febre e calafrios. Ele já esperava por aquilo. A leitura mexia com ela. Era como se ficasse mais próxima do milagre ao ler aquelas palavras. Sentia-se tomada por um sentimento arrebatador, era visível. Havia alegria em sua voz. Os olhos estavam marejados de lágrimas e atrapalhavam a leitura, mas não importava, ela já sabia de cor o que lia.

– "Jesus, outra vez profundamente comovido, foi até o sepulcro. Era uma gruta com uma pedra colocada à entrada. 'Tirem a pedra', disse ele. Disse Marta, irmã do morto: 'Senhor, ele já cheira mal, pois já faz *quatro* dias' – ela leu com ênfase especial a palavra "quatro". – Disse-lhe Jesus: 'Não lhe falei que, se você cresse, veria a glória de Deus?'. Então tiraram a pedra. Jesus olhou para cima e disse: 'Pai, eu te agradeço porque me ouviste. Eu sabia que sempre me ouves, mas disse isso por causa do povo que está aqui, para que creia que tu me enviaste'. Depois de dizer isso, Jesus bradou em alta voz: 'Lázaro, venha para fora!'. *O morto saiu*" – Sônia agora lia em voz mais alta e arrebatada, como se visse com seus próprios olhos a cena – "com as mãos e os pés envolvidos em faixas de linho, e o rosto envolto num pano. Disse-lhes Jesus: 'Tirem as faixas dele e deixem-no ir'. *Muitos dos judeus que tinham vindo visitar Maria, vendo o que Jesus fizera, creram nele*[1]".

Não pôde mais continuar a ler, fechou a bíblia e levantou-se rapidamente da mesa.

– É tudo sobre a ressurreição de Lázaro – disse, em um sussurro.

Sônia e Raskólnikov ficaram ali em silêncio e imóveis por alguns minutos. A vela trazida já era um toco que iluminava fracamente aquele quarto pobre, onde um assassino e uma pecadora tinham ficado tão estranhamente próximos pela leitura do livro sagrado.

---

1   Passagens retiradas da Bíblia Online. Disponível em: <https://www.bibliaonline.com.br/nvi/jo/11/19+>. Acesso em: jun. 2020. (N.E.)

CRIME E CASTIGO

– Vim até aqui para contar uma coisa – disse em voz alta, aproximando-se dela. – Eu hoje abandonei minha família, minha mãe e minha irmã. Não irei mais vê-las.

– Mas por quê? – perguntou Sônia com a voz fraca. O breve encontro que tivera com a mãe e a irmã de Raskólnikov havia lhe causado uma forte impressão, que ela própria não sabia explicar.

– Tenho somente você agora. Nós iremos juntos. Eu vim até aqui dizer isso: somos dois perdidos, iremos juntos.

– Iremos aonde? – quis saber a jovem, olhando com receio para Raskólnikov e dando um passo para trás.

– Como é que vou saber? Só sei que iremos juntos. Nosso caminho é o mesmo. Eu preciso de você, por isso vim.

– Não estou entendendo... – murmurou Sônia.

– Depois vai entender. Você também cruzou a linha, não foi? Sacrificou sua vida... Para nada! Já não pode mais suportar, eu sei, sente que vai perder a razão, como eu sinto. Já agora sente que está um pouco louca. Iremos juntos, vamos!

– Mas o que está dizendo? – repetia Sônia, confusa e assustada com aquelas palavras.

– Estou dizendo que não dá mais para ficarmos aqui! É preciso pôr um fim em tudo isso, um basta. O que estamos esperando? A loucura? Doenças? Uma desgraça completa? O que mais pode haver aqui para nós? Nada. Não está entendendo? Não faz mal, depois vai entender. Mas... Talvez seja a última vez que nos falamos. Se eu não vier amanhã, você vai ficar sabendo de tudo, não importa. Mas se eu vier, contarei quem matou Lizaveta. Adeus!

Sônia tremeu de medo.

– E por acaso o senhor sabe quem foi? – perguntou, sentindo o corpo gelar.

– Sei e vou contar. Mas só para você! Você foi escolhida por mim para saber esse segredo. Contarei tudo amanhã.

Ele foi embora. Sônia estivera olhando para ele como se fosse um louco delirante, mas ela mesma sentia que estava louca. Sua cabeça rodava. "Deus, ele sabe quem matou Lizaveta? O que quis dizer? Dá até medo!" A jovem passou toda a noite em um estado delirante e febril. Acordava, às vezes, e chorava. Sonhou com Pólia, Katerina Ivánovna, Lizaveta, com a leitura do Evangelho e com ele... Ele com seus olhos ardentes e o rosto pálido... Ele beijando seus pés e chorando... Oh, Deus!

O que ninguém sabia era que aquele tempo todo, atrás da porta à direita, aquela mesma porta que dava para um quarto há muito tempo vazio, que separava o apartamento dos Kapernaúmov do apartamento da senhora Resslich, o senhor Svidrigáilov estava com as orelhas em pé, ouvindo tudo oque se passava entre Sônia e Raskólnikov. Assim que o rapaz foi embora, ele saiu do quarto na pontinha dos pés. Em seguida, voltou trazendo uma cadeira e a colocou silenciosamente junto da porta. Assim, da próxima vez, não precisaria ficar de pé uma hora inteira, enquanto ouvia a conversa dos dois. Ouvira coisas interessantíssimas e já estava ansioso pela próxima visita.

CAPÍTULO 24

Na manhã seguinte, às onze horas, Raskólnikov entrou no edifício R*, no departamento de instrução criminal, e pediu que avisassem a Porfiri Petróvitch da sua presença. Ficou até mesmo surpreso com a demora em ser recebido, imaginou que não teria de esperar nem um minuto, mas, ao contrário, passaram-se pelo menos dez até que fosse chamado. Enquanto esperava, viu passar uma infinidade de gente, pessoas do povo e das altas rodas, além de funcionários apressados que pareciam não notar sua presença ali. Começou a ficar preocupado e olhar ao redor: será que não haveria algum tipo de escolta? Alguém espionando? Talvez fosse melhor ir embora. Mal pensou isso, foi chamado à presença de Porfiri Petróvitch.

Encaminhando-se para a sala, sentia um ódio incontrolável. Detestava aquele homem com todas as suas forças e receava que, levado por esse sentimento, acabasse dizendo algo que poderia comprometê-lo. Antes de entrar, tentou manter o sangue-frio e prometeu a si mesmo controlar a língua. Mesmo assim, sentia um ligeiro tremor percorrer seu corpo e pensou novamente em dar as costas e ir embora.

– Ah, excelentíssimo! – exclamou Porfiri Petróvitch assim que Raskólnikov entrou,

Ele estava só em seu gabinete. Era um cômodo de tamanho razoável, com uma grande escrivaninha, um sofá, uma secretária, um armário encostado em uma das paredes; em suma, toda a mobília comum de um gabinete público daquele tempo. Havia também uma outra porta, próxima à escrivaninha, protegida por um tabique.

– Excelentíssimo! – repetiu o juiz de instrução, estendendo as duas mãos para cumprimentá-lo. – Que bom vê-lo por aqui... vamos, sente-se, faça o favor. Sente-se aqui no sofá, meu caro.

O rapaz sentou-se, sem tirar os olhos de Porfiri. "Que bom vê-lo aqui", ora, não havia sido combinado aquele encontro? Não era um inquérito, afinal? As maneiras afetadas de Porfiri Petróvitch já começavam a agastar Raskólnikov imensamente.

– Trouxe o papel que pediu, fazendo o pedido formal do relógio – disse, esforçando-se em parecer tranquilo e polido.

– Papel? Que papel? Ah, sim, claro, não se preocupe, meu caro, não se preocupe – repetia Porfiri, pegando o papel das mãos de Raskólnikov e colocando-o sobre a mesa, sem se preocupar. – Falamos disso em um instantinho.

– O senhor pediu que eu viesse para falar... Para me interrogar formalmente a respeito daquele assassinato, não é? – disse o rapaz, arrependendo-se logo em seguida. Não teria sido melhor esperar que o próprio Porfiri tocasse no assunto?

– Ah, sim, sim! É isso mesmo, mas não se preocupe. Temos tempo – balbuciou Porfiri Petróvitch. Embora tentasse manter a costumeira calma, o juiz parecia um tanto inquieto, andando de um lado para o outro pelo gabinete.

Passados alguns instantes, acendeu um cigarro e ofereceu outro a Raskólnikov, que recusou o mais educadamente que pôde. Em seguida, Porfiri Petróvitch começou a falar de uma reforma em seu apartamento, que ficava ali mesmo, naquele prédio, na porta atrás do tabique. Era um apartamento do Estado, é claro, mas muito bom, muito mesmo. Como ele próprio parecia não cansar de repetir. Aquela conversa fiada só serviu para enervar ainda mais Raskólnikov, que não pôde mais se segurar e disse:

– Sabe de uma coisa? Dizem que existe uma espécie de protocolo jurídico que é o seguinte: começam um inquérito com conversas tolas, coisas à toa, para que o interrogado fique mais tranquilo, ou até mesmo distraído, quando chega o momento de fazer as perguntas realmente importantes.

– Então o senhor acha que... – começou Porfiri Petróvitch, mas interrompeu em seguida.

Olhou para Raskólnikov, e uma expressão astuta perpassou seu rosto em um átimo. Chegou mesmo a esboçar um sorriso irônico, que logo se

CRIME E CASTIGO

abriu em uma risada. De repente, o rapaz também começou a rir, como para disfarçar toda a raiva que tomava conta dele. Naquele momento, era difícil dizer quem estava jogando o jogo de quem. O riso cessou, e os dois se olharam. Incomodado, Raskólnikov sentia que caíra em uma armadilha e decidiu que era melhor sair dali. Levantou-se e pegou o boné.

– Porfiri Petróvitch – começou, decidido –, o senhor ontem expressou o desejo de falar comigo, pediu que eu viesse aqui para cumprir um inquérito. Eu vim, então peço que pergunte de uma vez o que deseja saber. Não tenho tempo a perder.

– Meu Deus! Mas o que é isso? Perguntar o quê? – cacarejou Porfiri Petróvitch, mudando o tom. – Não se preocupe, meu caro, não se preocupe. Temos tempo, são apenas bobagens. Estou contente que o senhor tenha vindo, de verdade, é como se eu recebesse uma visita, e fico muito grato, Rodion Románovitch. É este seu patronímico, não? Románovitch. Você me perdoe pela risada, é que sofro de riso frouxo, acabo rindo à toa e isso pode ser um tanto... Desagradável. Mas não se zangue.

Raskólnikov continuava calado, ouvindo e observando. Acabou se sentando novamente no sofá, mas não largou o boné.

– Peço desculpas novamente, não tive a intenção de irritá-lo. E perdoe que eu fique assim caminhando, é que preciso me exercitar... Hemorroidas, o senhor sabe como é... Ou talvez tenha a sorte de não saber! – dizia, sempre a caminhar pela sala. – Não lhe ofereço um café, porque não temos. Também não é o lugar mais adequado, não é mesmo? Agora... Quanto ao que o senhor dizia antes, como foi que o disse? Ah, sim, de fato existe um certo "procedimento jurídico" que consiste em fazer perguntas indiretas ao réu, mas isso apenas na hora do julgamento, entende? Faz-se perguntas indiretas para que ele fique tranquilo, baixe a guarda e então... zás! Acaba caindo em contradição ou até confessando. Mas é como eu disse, só em julgamentos. Aqui estamos entre amigos...

Porfiri Petróvitch não parava de desfiar aquele interminável novelo de trivialidades e tolices, entremeadas por sutis alusões e expressões

159

enigmáticas. Caminhava agora por todo o gabinete, em diferentes direções, com as mãos para trás. Às vezes, parecia que falava mais consigo mesmo. Raskólnikov sentia-se profundamente confuso e incomodado, o que significaria tudo aquilo, afinal? Aquele vaivém e aquele monte de bobagens? Por duas vezes, o jovem notou que Porfiri fizera uma ou duas pausas em sua incessante caminhada e detivera o olhar no tabique. Será que estava esperando alguma coisa? Estaria apenas tentando engambelá-lo enquanto isso?

– O senhor estudava na faculdade de Direito, não é, Rodion Románovitch? – perguntou Porfiri Petróvitch de repente, interrompendo a caminhada.

– Sim, estudava...

– Ah, sim, isso explica muita coisa... – continuou o juiz de instrução. – Aquele artigo que o senhor escreveu, por exemplo, só poderia mesmo ter sido escrito por um estudante de Direito. E havia mesmo alguns pontos muito interessantes ali, como já comentei com o senhor. Lembra-se dos homens comuns e extraordinários, não se lembra? Fiquei pensando nisso... E na questão do crime também. Veja, se um homem comum cometer um crime, levado pela falsa ideia de que é um homem extraordinário, certamente será julgado e condenado, não acha?

Raskólnikov nada dizia, apenas continuava ouvindo com atenção. A raiva fervia dentro dele, e, de novo, sua cabeça começava a rodar.

– Sim, porque, veja bem, se não é um homem extraordinário, não terá, *de fato*, motivos que "abonem", por assim dizer, o crime. E é aí que entra em ação o juiz. Um bom juiz agirá como dissemos há pouco: na hora do julgamento, fará perguntas aparentemente tolas, insinuações, pode ser que, a princípio, o sujeito consiga escapar, mentir, mas, no fim, vai acabar se perturbando. Não terá por onde fugir, porque estará preso nos próprios pensamentos, nas elucubrações. Um bom juiz apanha o réu pelo *psicológico*, como dizem.

"Mas que bela lição!", pensava Raskólnikov, enregelando. "Ele fica desfiando esses argumentos, se exibindo, mas por quê? Por que não vai direto ao ponto? Tenho certeza de que está aprontando alguma...".

CRIME E CASTIGO

E pensando naquilo, o rapaz se preparava para alguma catástrofe iminente. Mais de uma vez, Raskólnikov teve ganas de levantar-se, lançar-se sobre Porfiri Petróvitch e estrangulá-lo ali mesmo. Sabia, desde antes de entrar naquele gabinete, que o ódio seria seu maior inimigo e buscava controlá-lo. Decidiu que o melhor era permanecer calado, mas sentia a boca seca, a respiração pesada e o coração acelerado.

– ... E em relação à mentira, meu caro Rodion Románovitch, afirmo que ela tem perna curta! – continuava, incansável, Porfiri Petróvitch. – Pode ser que o réu consiga enganar o juiz uma vez, até mesmo duas, mas à medida que o tempo passa, que o processo avança, não há escapatória. Não, senhor! E existem sinais, o senhor sabe... O sujeito começa a ficar calado, depois empalidece sem mais nem menos, esse tipo de coisa. E isso porque, como já disse, o sujeito já está perturbado psicologicamente, atormentado pela culpa, pelas mentiras... Sente-se bem, meu caro? Está tão pálido.

– Sinto-me perfeitamente bem! – respondeu Raskólnikov e soltou uma gargalhada.

Porfiri Petróvitch interrompeu sua caminhada pela sala mais uma vez e parou diante de Raskólnikov. O rapaz afinal deixou-se levar pela raiva, parou de rir, levantou-se e, parando a um palmo de Porfiri, declarou, encarando-o nos olhos:

– Porfiri Petróvitch, o senhor está positivamente convencido de que fui eu quem matou a velha e a irmã. Pois eu lhe digo que estou saturado de toda essa conversa fiada e de suas insinuações. Se quer me prender, vá lá, prenda! Mas não vou admitir que me façam de idiota! Não vou!

– Mas o que é isso, meu querido! – exclamou Porfiri Petróvitch, visivelmente assustado diante daquela explosão. – Rodion Románovitch! Meu caro, o que há com você?

– Não vou admitir! – gritou outra vez Raskólnikov.

– Acalme-se, meu caro, acalme-se! – sussurrou Porfiri Petróvitch, cauteloso – Se ouvirem você gritando assim, virão ver o que está havendo!

– Não-vou-ad-mi-tir – repetiu Raskólnikov, escandindo cada sílaba.

Porfiri Petróvitch conseguiu que Raskólnikov se sentasse novamente no sofá e em seguida trouxe um copo d'água. O acesso de raiva havia passado, mas a febre tomava conta dele outra vez. Era desconcertante a maneira cuidadosa e amigável com que Porfiri cuidava dele naquele momento.

– O senhor está muito nervoso, meu caro Rodion Românovitch – observou ele, cauteloso. – E parece ainda um tanto doente. Devia consultar um médico. Mas um bom médico, um que seja experiente, não um novato como aquele... Como é mesmo que se chama? Zóssimov ou coisa do tipo. Seu amigo Dmitri Prokófievitch é muito atencioso, mas talvez devesse pensar em procurar melhores referências no âmbito da saúde... O que o senhor acha? Bem, não importa... Fiquei sabendo, foi o próprio Dmitri Prokófievitch quem me contou, na verdade, que o senhor andou delirando nos últimos dias, mas mesmo assim saiu sem rumo, depois disse que tinha ido atrás de um apartamento para alugar, não foi assim? Arriscou a vida, meu caro, arriscou mesmo. Imagine o que poderia ter lhe acontecido?

– Não posso nem imaginar – respondeu Raskólnikov, seco.

– Pois é... – continuou Porfiri Petróvitch – O senhor me parece mesmo muito mal. Devia descansar. Acredito que esse acesso de raiva seja sintoma de sua doença... Imagine, eu considerá-lo culpado de alguma coisa. Uma pessoa assim doente, que já na noite do crime caiu de cama, deve estar acima de qualquer suspeita, não lhe parece, meu caro?

– Basta! – enfureceu-se Raskólnikov novamente, levantando-se outra vez. – Basta de me fazer de idiota! Basta de jogos! Diga as coisas às claras!

– Meu caro! – disse Porfiri, em tom de advertência. – Por favor, mais baixo, vão ouvir o senhor e então...

– Que ouçam! Que me importa?

Ele pegou o boné de cima do sofá e dirigiu-se, furioso, à porta para sair. Porfiri o observou por um momento e então aproximou-se da outra porta, a que estava atrás do tabique.

CRIME E CASTIGO

– Não quer ver uma coisinha antes? É uma surpresa – perguntou, dando uma risadinha debochada. Estava claro, de uma vez por todas, que ele vinha tramando alguma coisa o tempo todo.

– O quê? Que surpresa? – perguntou Raskólnikov, detendo-se com a mão na maçaneta e olhando assustado para Porfíri Petróvitch.

– Uma surpresinha que está esperando do outro lado da porta.

Raskólnikov precipitou-se em direção à porta e tentou abri-la, mas foi em vão: estava trancada à chave. Ao virar-se para Porfíri Petróvitch, viu que ele balançava candidamente uma chavezinha e sorria.

– Seu mentiroso! – gritou Raskólnikov, já não se contendo. – Estava me provocando o tempo todo!

– Provocando? Ora, meu caro Rodion Románovitch, não pode haver confissão maior que a sua! Está aí, tendo um completo acesso de raiva!

Raskólnikov avançou para Porfíri Petróvitch, mas este muito lepidamente escapou para trás da escrivaninha e pôs-se ao lado da porta. Do outro lado, ouviam-se ruídos, como se tentassem abri-la.

– Veja só! – gritou Raskólnikov, tomado pela fúria. – Agora veremos que tal surpresinha é essa! Pode mandar entrar! Vamos, entrem todos! Testemunhas, deputados, todos os juízes!

O que se seguiu foi um estranho incidente, algo tão inesperado que nem Raskólnikov nem Porfíri Petróvitch nem ninguém poderiam prever.

CAPÍTULO 25

O ruído do outro lado da porta aumentou mais e mais, parecia estar havendo alguma confusão. Agastado, Porfiri Petróvitch entreabriu a porta e meteu a cabeça ali.

– Mas o que está havendo? – gritou ele, com enfado.

– Trouxemos o preso Nikolai – disse alguém.

– Não precisa! Esperem um pouco! Por que o trouxeram aqui?

Houve alguma confusão, as vozes se sobrepuseram, Porfiri Petróvitch ainda tentou fechar a porta mais uma vez, mas não conseguiu. A porta se escancarou e um rapaz muito pálido entrou quase correndo no gabinete, parando junto ao sofá.

Era um rapaz muito jovem, vestido com simplicidade, de tamanho médio, magricelo, com cabelos lisos cortados em forma de tigela. O rosto expressava cansaço, os lábios tremiam levemente, mas em seus olhos havia um estranho brilho, como se estivesse disposto a tudo. Pouco depois outro homem entrou no gabinete, agarrando o primeiro pelos ombros, mas Nikolai conseguiu se desfazer dele mais uma vez.

Na porta se amontoavam alguns curiosos.

– Saiam daqui! Ainda é cedo! Não chamei ninguém! – mandou Porfiri Petróvitch, tentando dispersar toda aquela gente. Subitamente, porém, Nikolai caiu de joelhos diante dele. – Mas o que é isso?! – gritou o juiz, surpreso.

– Sou culpado! Assumo o meu pecado: sou eu o assassino! – disse Nikolai, com dificuldade para respirar, mas ainda assim alto o suficiente para que todos ouvissem.

– O que está dizendo? – gritou Porfiri Petróvitch, saindo daquele estado de torpor.

– Eu sou o assassino... – repetiu Nikolai.

– Mas o que... Quem... Quem foi que você matou?

CRIME E CASTIGO

Porfiri Petróvitch estava visivelmente abalado.

Nikolai permaneceu em silêncio por mais um momento e então disse:

– Matei Aliona Ivánovna e a irmã dela, Lizaveta Ivánovna... Matei com um machado... Tive uma perturbação... – disse, sempre de joelhos.

Porfiri Petróvitch ficou parado, em silêncio, considerando todos os acontecimentos. Em seguida, fez um sinal com a mão para que todos saíssem dali. O grupo que se formara à porta dispersou-se rapidamente e a porta foi fechada. Olhou então para Raskólnikov, que estava parado em um canto, olhando com selvageria para Nikolai. Deu um passo em sua direção, então olhou novamente para o suposto assassino de joelhos e parou novamente. Afinal decidiu-se e aproximou-se, resoluto, de Nikolai.

– Ainda não perguntei da sua perturbação – sentenciou ele com maldade. – Diga: você é o assassino?

– Sou o assassino... Estou confessando...

– E qual foi a arma do crime?

– Foi um machado. O meu de reserva.

– Não precisa ter pressa. E matou sozinho?

Nikolai não entendeu a pergunta.

– Matou sozinho? – repetiu Porfiri Petróvitch.

– Sozinho. Mitka nao me ajudou.

– Não tenha pressa, ainda não perguntei de Mitka nenhum! E como é que você saiu correndo pela escada depois? Os moradores e o zelador viram você?

– Isso foi depois... Foi pra despistar... Saí correndo com Mitka pra despistar...

– Aí está! – exclamou Porfiri, sem muita convicção.

Fez uma pausa e olhou para Raskólnikov. Parecia ter se esquecido de sua presença por um instante.

– Rodion Románovitch, meu querido! Desculpe – começou, fazendo até uma reverência. – Como pode ver, foi mesmo uma grande surpresa... Nesse caso... Eu...

165

Porfiri Petróvitch não sabia bem o que dizer, mas guiou Raskólnikov até a outra porta, pela qual ele entrara mais cedo.

– Parece que por essa nem o senhor esperava – observou o rapaz, tentando disfarçar sua própria surpresa.

– Pois é, meu querido, não esperava mesmo.

– Está tremendo, Porfiri Petróvitch.

– Estou, estou mesmo, meu caro, foi o susto...

Estavam parados junto à porta. Porfiri parecia ansioso para que Raskólnikov fosse embora.

– Então, *adeus*!

– Até breve... – murmurou Porfiri, com um estranho sorriso.

Atravessando os gabinetes e corredores, Raskólnikov notou que muitos olhares recaíam sobre ele. Notou, inclusive, que entre as pessoas que estavam ali, havia alguns moradores *daquele* prédio. Tentando não se perturbar, seguiu o caminho até as escadas, que desceu apressadamente. Alcançando a rua, foi direto para casa.

Ao chegar, sentia-se completamente esgotado. Jogou-se no sofá, onde ficou por um quarto de hora descansando e tentando colocar as ideias no lugar. Não podia nem queria entender o que representava aquela confissão de Nikolai. Havia ali qualquer coisa incompreensível. Fosse como fosse, logo aquela mentira seria descoberta e voltariam a investigar, ou seja, Porfiri Petróvitch voltaria a procurá-lo. Por ora, poderia ficar tranquilo. Mas por quanto tempo?

Sabia que a cena no gabinete de Porfiri Petróvitch teria consequências, embora ainda não conseguisse ter certeza a respeito das intenções do juiz de instrução. Ao relembrar tudo que se passara, não podia deixar de tremer. Certamente tinha se comprometido, mas ainda não havia fatos, não havia provas concretas contra ele. Pelo menos era o que achava. A seu ver, Porfiri tinha colocado praticamente todas as cartas na mesa. Tinha se arriscado, era certo. Mas não, pensando bem, ainda havia uma carta na manga. Qual seria a "surpresinha", afinal de contas? Talvez fosse apenas um blefe.

Raskólnikov sentou-se no sofá, apoiou os cotovelos nos joelhos e enfiou a cabeça entre as mãos. Um tremor nervoso percorreu todo seu corpo. Então, ele se levantou, pegou o boné outra vez, parou um instante e saiu. Podia considerar-se a salvo, pelo menos por aquele dia. Em seu coração sentiu, de repente, algo semelhante à felicidade; queria ir à casa de Katerina Ivánovna o mais rápido possível. Estava atrasado, é certo, mas ainda teria tempo de encontrar Sônia.

CAPÍTULO 26

Na manhã seguinte ao encontro com Dúnia e o consequente fim do noivado, Piotr Petróvitch acordou aborrecido e completamente certo de que tudo estava perdido. Sentia-se também abatido e, ao levantar-se, foi logo ao espelho conferir se não estava amarelo de bile (acontecia de a bile se espalhar por seu corpo quando ele se aborrecia, deixando-o com uma aparência miserável). Felizmente, não era o caso: no espelho encontrou o mesmo rosto corado e bem-cuidado de sempre. Suspirou aliviado e viu, pelo reflexo, que seu colega de quarto sorria de maneira sarcástica.

Andrei Semiónovitch Lebeziátnikov era funcionário público, vizinho do quarto de Marmeládov e antigo pupilo de Lújin. Era um homem magro e de baixa estatura. Exageradamente louro, usava suíças em forma de costeleta, das quais muito se orgulhava. Entre os inquilinos de Amália Ivánovna, era considerado dos mais honrados, ou seja, não era de beber e sempre pagava em dia o aluguel. Tinha um bom coração, no fundo, embora já tivesse batido em Katerina Ivánovna, em certa ocasião. Sempre que falava, usava um tom pomposo e, às vezes, arrogante, mas, apesar disso, a verdade é que Andrei Semiónovitch era um tolo completo. Lújin o desprezava por isso, e até mesmo detestava com todas as forças, mas, ao mesmo tempo, tinha certo receio dele.

Não fora só por avareza que escolhera dividir o quarto com um sujeito medíocre daqueles (embora, é claro, esse fosse o principal motivo). Ainda na província, ouvira falar que seu antigo pupilo era agora um homem progressista, que frequentava alguns dos melhores círculos de Petersburgo. Logo, seria um contato indispensável. Passados alguns dias, parecia ser improvável conhecer alguém influente por intermédio dele, o que só acentuou o desprezo de Lújin. Mesmo assim, permaneceu ali.

CRIME E CASTIGO

O pupilo, por sua vez, também começava a enfadar-se da presença de seu antigo tutor. Por mais simplório que fosse, Andrei Semiónovitch notava que Piotr Petróvitch não gostava dele e, no fundo, sabia que ele não era "nada daquilo que dizia ser" – daí o sorriso sarcástico que frequentemente dirigia a Lújin.

Piotr Petróvitch, mantendo a compostura, fingiu não notar o sorriso do colega e sentou-se à mesa com seu ábaco para contar o dinheiro que descontara de notas e promissórias no dia anterior. Enquanto isso, Andrei Semiónovitch, que raramente via dinheiro em grandes quantias, andava pelo quarto e observava a contagem atenta de Lújin. Passado algum tempo, o noivo frustrado teve uma ideia e decidiu entabular uma conversa.

– O que é que estão organizando lá no quarto daquela... Viúva? – perguntou Piotr Petróvitch, de repente.

– São as exéquias do marido. Não se lembra? Ela o convidou ontem.

– Eu jamais iria imaginar que essa tola fosse gastar com as exéquias *todo* o dinheiro que aquele Raskólnikov imbecil deu a ela. Até vinho tem! Ela convidou um bom número de pessoas, sabe Deus quem são – Lújin fez uma pausa antes de continuar, direcionando a conversa para o que interessava de fato. – Mas você disse que me convidaram? Não estou lembrado... Seja como for, não pretendo comparecer.

– Muito menos eu.

– Pudera!

– O que quer dizer? quis saber Andrei Semiónovitch, já demonstrando impaciência.

– Ora, nada...

Piotr Petróvitch voltou-se para seu ábaco, satisfeito consigo mesmo por ter conseguido apoquentar Andrei Semiónovitch.

– É uma calúnia! – explodiu Lebeziátnikov. – Eu nunca bati em Katerina Ivánovna! Apenas me defendi... Foi ela quem veio para cima de mim, furiosa, chegou a arrancar uma das minhas suíças! Com as unhas! Dá para acreditar? Pois então, foi assim que tudo aconteceu. Eu apenas me defendi.

Lújin soltou um risinho maldoso.

– E quanto a Sófia Semiónovna? Soube que você a expulsou daqui de seu quarto.

– Outra calúnia! – exclamou Lebeziátnikov, verdadeiramente furioso. – Uma infâmia! Isso foi Katerina Ivánovna quem inventou! Nunca fiz nada de mal a Sófia Semiónovna, pelo contrário! Buscava ensinar-lhe alguma coisa, para que refletisse, para que se rebelasse... É uma moça encantadora, de uma natureza maravilhosa.

– Natureza maravilhosa... Bem sei... – murmurou Lújin, com desdém.

Piotr Petróvitch calou-se e terminou suas contas. Ajeitou o dinheiro e o ábaco sobre a mesa, mas, por alguma razão, não se apressava em guardá-los. Observava Andrei Semiónovitch, que parara à janela, olhando para fora.

– Você está frustrado com a questão do noivado e desconta tudo em mim! – desabafou Lebeziátnikov.

– Melhor não falarmos disso – observou Lújin, com enfado. – Agora ouça... Você que conhece a tal Sófia Semiónovna, vá chamá-la, preciso falar com ela.

– Precisa?

– Sim, preciso. Amanhã ou depois, irei embora daqui e preciso trocar algumas palavras com a moça, explicar alguns assuntos... Faria essa gentileza?

Lebeziátnikov observou o antigo tutor por um instante e saiu. Dali a alguns minutos, estava de volta com Sônia. A moça estava absolutamente surpresa com o convite e, como era seu costume, tinha o rosto corado de vergonha. Piotr Petróvitch aproximou-se dela com cuidado e atenção, mas também certa familiaridade, o que, em seu ponto de vista, expressava um interesse adequado a um homem de sua idade e posição. Pediu a Sônia que se sentasse, enquanto se levantava para falar com Lebeziátnikov, que permanecera de pé, junto da porta.

– O tal Raskólnikov já chegou? – perguntou Lújin, em um sussurro.

– Sim, já... Acabou de chegar. Por quê?

CRIME E CASTIGO

– Nesse caso, não saia daqui. Não me deixe a sós com essa... donzela. Não quero que Raskólnikov diga que... Bem, você entende, não?

– Ah, sim, entendo, entendo.

Piotr Petróvitch voltou-se então para Sônia, sentando-se de frente para a jovem. Observando atentamente seu rosto, chegou a considerar que ela tinha uma expressão sólida e até mesmo respeitável. "Seria uma perfeita dama", pensou.

– Em primeiro lugar, a senhora me perdoe, Sófia Semiónovna, por não poder comparecer às exéquias do seu mui honrado pai. E diga à sua mãe... Katerina Ivánovna faz as vezes de sua mãe, não é mesmo?

– Sim, é isso mesmo.

– Pois então, peça desculpas a ela, diga que não poderei comparecer.

– Sim, senhor, agora mesmo – disse Sônia, levantando-se, apressada, para sair dali.

– Ainda não é tudo – continuou Piotr Petróvitch, fazendo com que ela se sentasse outra vez.

Sônia sentia-se aflita em estar ali. Piotr Petróvitch parecia-lhe terrivelmente desagradável, em especial por conta da maneira como olhava para ela.

– Tenho outros motivos para chamá-la aqui, minha cara Sófia Semiónovna. Preocupo-me com a senhora e sua situação – continuou ele, após uma pausa. – Ontem mesmo tive a chance de conversar com Katerina Ivánovna e pude notar que ela está... Fora de si, por assim dizer.

– Sim, ela está muito doente.

– Pois neste caso, eu gostaria de ser útil de alguma maneira. Fiquei muito tocado com a situação, a senhora entende?

Sônia assentiu.

– Imaginei que poderia fazer alguma coisa por ela, quem sabe organizar um pequeno fundo, recolher doações. Penso nas pobres crianças que ela tem. São três, não são?

– Sim, três – respondeu Sônia, com a voz trêmula.

– Vejo que a senhora está ainda muito perturbada. A perda é muito recente ainda. Façamos assim: a senhora volta aqui mais tarde, por volta das sete horas, e nós discutiremos a melhor forma de ajudar sua mãezinha. Por ora, peço que aceite isto.

Piotr Petróvitch então pegou uma nota de dez rublos do dinheiro que estava sobre a mesa, desamassou-a com cuidado, estendendo-a em seguida a Sônia. A moça pegou a nota, corando, e logo depois ergueu-se de um salto, murmurou alguma coisa em agradecimento e começou a despedir-se, apressada. Piotr Petróvitch a conduziu teatralmente até a porta. Sônia saiu de lá bastante perturbada, mas procurou acalmar-se antes de voltar ao quarto de Katerina Ivánovna. Andrei Semiónovitch, por sua vez, permaneceu parado junto à janela, de onde acompanhara toda a cena com atenção.

CAPÍTULO 27

Era difícil encontrar uma razão para Katerina Ivánovna ter organizado exéquias tão ostensivas. Pode ser que quisesse fazer tudo "como tinha de ser" em homenagem ao falecido. Pode ser que quisesse apenas impressionar a senhoria e companhia, mostrando que mesmo sendo pobre, ela sabia muito bem organizar exéquias boas e dignas. De fato, era bem provável que ela estivesse tomada pelo que se chama de *orgulho de pobre*, um sentimento que invade as pessoas de poucas posses em certas situações, nas quais elas fazem de tudo para mostrar que "não são piores que os outros" – às vezes da maneira mais tola. Mas há de se notar, ainda, que no último ano, Katerina Ivánovna padecera muito e de diversas maneiras, de modo que sua cabeça, como sua saúde, encontrava-se bastante debilitada. Seja como for, não havia como colocar defeitos nas exéquias: estavam impecáveis.

Havia vinho, vodca e rum, não os melhores, mas bastante bons, e também chá e ponche. Para comer, além de panquecas e *kutiá*, o tradicional mingau russo feito com trigo, mel, nozes e sementes de papoula, havia diversos frios e mais quatro pratos. A louça, os talheres, os copos e as xícaras, emprestados de diferentes inquilinos de Amália Ivánovna, haviam sido organizados e distribuídos com cuidado pela mesa, coberta por uma toalha branca. O resultado final era bastante harmonioso, mesmo com a divergência e variedade da louça. Apesar disso, Katerina Ivánovna tivera ainda seus dissabores.

Dos convidados para o enterro, quase nenhum compareceu, e agora, para a ceia, apareceram somente aqueles mais pobres e insignificantes. Os convidados mais velhos e importantes, como a distinta dama de luto e a filha, que viviam no andar de cima, ou o próprio Piotr Petróvitch, não deram as caras. Isso aborrecia Katerina Ivánovna, pois ficava parecendo que o pobre Semion Zakhárovitch Marmeládov não merecia a consideração da "gente da alta" nem mesmo depois de morto. Estavam

FIÓDOR DOSTOIÉVSKI

ali presentes: a senhoria Amália Ivánovna; um polaquinho, que até havia ajudado a conseguir os frios, e que trouxera consigo dois amigos, também polacos; um balconista que cheirava mal; um velhinho surdo e já quase cego; um tenente bêbado e, ainda, um funcionário de uma não-se-sabe-qual repartição, com uma risada escandalosa. "Foi para *essa gente* que eu organizei um banquete assim?", pensava Katerina Ivánovna, com enfado e desdém. Afinal, chegou também Raskólnikov, o que a alegrou imensamente.

Assim que chegou, Raskólnikov aproximou-se de Katerina Ivánovna e pediu desculpas por não ter ido ao enterro. Ela aceitou com prazer e pediu para que ele se sentasse a seu lado. O rapaz se perguntava quem eram aquelas pessoas em estado deplorável que se reuniam ali, em volta da mesa preparada com tanto esmero. Não teve muito tempo para refletir, pois Katerina Ivánovna começou logo a desdenhar daquela companhia.

– É tudo culpa dela, o senhor entende – dizia, indicando Amália Ivánovna com o olhar. – A coruja velha não permitiu que ninguém importante viesse. Mas ela mesma não deixou de vir! Não, senhor! Não ia perder uma boquinha! É mesmo uma coruja, não é? Veja como arregala os olhos!

Katerina Ivánovna começou a rir maldosamente da senhoria que, de fato, arregalava os olhos, tentando captar e interpretar o que diziam dela. O riso, porém, foi logo interrompido por um forte acesso de tosse. A viúva cobriu a boca com o lenço, que ficou sarapintado de sangue. Nesse instante, Sônia entrou apressada, vinda do quarto de Piotr Petróvitch.

A moça sentou-se ao lado de Raskólnikov, que a cumprimentou com um aceno de cabeça. Tão logo se acomodou, Sônia começou a falar, tão alto quanto podia, para que todos ouvissem, da louvável atitude de Lújin, que queria ajudar a pobre viúva, e havia dado, para começar, dez rublos. Ela sabia que isso iria acalmar Katerina Ivánovna e aplacaria, de certa forma, seu orgulho ferido pela ausência de Piotr Petróvitch. Isso, de fato, pareceu funcionar.

CRIME E CASTIGO

– Agradeço muito ao senhor Lújin – disse ela. – Mas sou ainda mais grata ao senhor, Rodion Románytch, não só pela mão que nos estendeu, mas por estar aqui conosco, neste momento – e acrescentou, olhando com desprezo para os "convidados". – Veja que bando de bobalhões!

À medida que a ceia avançava e as garrafas se esvaziavam, os indesejáveis convidados de Katerina Ivánovna tornavam-se mais e mais expansivos e perdiam o bom-tom necessário para uma cerimônia fúnebre. Os olhos da anfitriã brilhavam de raiva, e ela criticava e atacava continuamente todos eles, interrompendo-se a cada pouco com um novo acesso de tosse.

– Bebamos ao morto, que amava beber mais que tudo! – gritou o funcionário da risada escandalosa, erguendo o décimo segundo cálice de vodca.

– O meu finado marido tinha mesmo essa fraqueza, como todos aqui bem sabem – disse Katerina Ivánovna em voz alta, com toda a dignidade. – Mas fiquem sabendo que ele sempre tratou bem de sua família e se preocupou com ela. Imagine, Rodion Románytch, que encontraram em seu bolso, no dia em que morreu, um pãozinho doce. Estava trazendo para os filhos!

– Um pãozinho doce? É mesmo? Vai ver não teve tempo de vender! – observou o mesmo funcionário que erguera o brinde.

Katerina Ivánovna fez de conta que não ouvira o último comentário, embora fosse nítido que a raiva tomava conta de seu corpo. Ela voltou- -se para Raskólnikov, fazendo comentários mordazes a respeito de todos os presentes. Os acessos de tosse continuavam, cada vez menos espaçados, enquanto o chiado no peito se tornava cada vez mais audível.

Raskólnikov ouvia com atenção e nada dizia, embora sentisse um desprezo imenso por todos aqueles horríveis convidados. Não tinha fome, mas comeu um pouco de *kutiá* e um pedaço de panqueca, para não ofender a suscetível anfitriã. Pressentia que as exéquias não terminariam bem. Olhava constantemente para Sônia, que mantinha a cabeça baixa, olhando para o prato, com o mesmo pressentimento de que algo de ruim iria acontecer a qualquer momento. Afinal, os pressentimentos se concretizaram.

Os convidados falavam de Marmeládov, diziam que ele sempre fora e sempre seria, enquanto vivesse, um bêbado e nada mais. Amália Ivánovna concordava e tinha sempre um comentário a fazer, com seu russo estropiado e carregado de sotaque. Comentava em que estado o falecido chegava em casa (quando voltava para casa) e como Katerina Ivánovna ralhava e batia nele. Em seguida, comentou que era por conta da vida desregrada e da falta de autoestima de Marmeládov que "*nenhum* pessoa *digno*" havia comparecido. Como se não bastasse, tinha ainda Sônia. A dama do andar de cima comentara com Amália Ivánovna que não poderia nunca permitir que sua filha se sentasse à mesa com uma moça de "*reputaçon* discutível".

Afinal, Katerina Ivánovna ergueu-se da mesa e disse com voz calma e severa, ainda que estivesse nitidamente possessa, que não havia razão alguma para que Amália Ivánovna e os outros continuassem ali se era aquela a ideia que faziam de Marmeládov e sua filha. Disse que a senhoria não passava de uma coruja estúpida, e que, se ela não saísse dali imediatamente, a própria Katerina Ivánovna a mandaria embora a pontapés. Ouvindo isso, Amália Ivánovna ficou estarrecida e pôs-se a gritar que a viúva estava "expulsa *da apartamenta!*". No mesmo instante, começou a pegar de volta os talheres de prata que havia emprestado, maldizendo Katerina Ivánovna todo o tempo. Os demais convidados também começaram a remexer na mesa. As crianças começaram a chorar. Sônia levantou-se para tentar ajudar Katerina Ivánovna, presa em um acesso particularmente forte de tosse.

Em meio a esse caos, a porta se abriu de repente e entrou Piotr Petróvitch Lújin. Ele ficou parado no limiar, olhando com severidade para todos os presentes. Katerina Ivánovna precipitou-se em sua direção.

CAPÍTULO 28

– Piotr Petróvitch! – gritava ela, agarrando-se à gola de Piotr Petróvitch. – Tenha pena de nós! Por favor... Ouça o que estão dizendo para mim! Para mim, uma viúva desamparada!

– Senhora... Minha senhora, por favor... – dizia Piotr Petróvitch, tentando se desvencilhar. – Não tenho a menor intenção de me meter em seus assuntos com a senhora Amália Ivánovna ou quem quer que seja. Vim falar com a senhorita Sófia Semiónovna... Será que posso entrar?

Piotr Petróvitch afinal conteve Katerina Ivánovna, segurando-a pelos ombros, e conseguiu adentrar o cômodo.

Katerina Ivánovna ficou exatamente onde estava. Não podia entender o tom seco e desinteressado de Piotr Petróvitch. Afora isso, a postura altiva e asseada de Lújin destoava de tal maneira do ambiente que deixara todos inseguros. Raskólnikov, que estava de pé ao lado da cadeira de Sônia, por pouco não deixou que ele se aproximasse. Mas Lújin parecia nem notar sua presença ali. Passados alguns instantes, Lebeziátnikov também apareceu e ficou parado à entrada.

– Peço desculpas se interrompo este momento tão importante – começou Piotr Petróvitch –, mas fico até feliz de poder dizer o que tenho a dizer diante de testemunhas. A senhora, Amália Ivánovna, no papel de senhoria, preste muita atenção na conversa que terei com Sófia Semiónovna. Minha cara Sófia Semiónovna – continuou, dirigindo-se a Sônia –, da minha mesa, que fica no quarto de meu amigo Andrei Semiónovitch Lebeziátnikov, precisamente depois de sua saída, desapareceu uma nota de cem rublos. Se a senhora sabe o que aconteceu com essa nota, peço que nos informe.

Fez-se o mais absoluto silêncio no quarto. Até mesmo as crianças pararam de chorar. Sônia havia se levantado e estava parada, pálida como uma defunta, olhando para Lújin sem poder responder.

FIÓDOR DOSTOIÉVSKI

– E então? – perguntou Lújin, olhando fixamente para ela.

– Eu não sei... Não sei de nada... – disse Sônia, com a voz fraca.

– Não? Não sabe? Pense bem – disse Lújin, muito sério. – A senhora esteve em meu quarto há pouco. Eu lhe dei dez rublos com a melhor das intenções, querendo ajudar você e sua família neste momento de necessidade. Então a conduzi até a porta. Andrei Semiónovitch está de prova, ele viu tudo. Pois quando voltei à mesa, para minha grande surpresa, faltava uma nota de cem. Então eu pergunto: uma vez que só nós três estávamos ali, eu, Sófia Semiónovna e Andrei Semiónovitch, e que eu havia acabado de contar minuciosamente o dinheiro, quem poderia ter pegado essa nota? Durante todo o tempo em que a senhora esteve lá, cara Sófia Semiónovna, meu amigo Andrei Semiónovitch não saiu de perto da janela, como a senhora mesma viu.

– Eu não peguei nada do senhor – sussurrou Sônia, horrorizada – O senhor me deu apenas dez rublos, tome, pegue de volta – e dizendo isso, a moça tirou do bolso do vestido uma nota amassada, estendendo-a para Lújin.

– E os outros cem rublos a senhora não sabe onde estão?

Sônia olhou em volta. Todos olhavam para ela, alguns a repreendiam com o olhar, outros estavam completamente pasmos. Ela virou-se para Raskólnikov. Este se afastara da mesa, em direção a uma das paredes.

– *Teus* do céu! Eu bem sabia que ela *erra* uma *ladron*! – disse Amália Ivánovna, erguendo as mãos.

De todos os lados, ergueu-se um burburinho. Katerina Ivánovna, já sem saber o que fazer, foi até Sônia e a abraçou forte com seus braços ressequidos.

– Ah, Sônia, Sônia! Como você pôde aceitar dez rublos desse homem! Que tola! Dê aqui!

E arrancando a nota das mãos de Sônia, Katerina Ivánovna amassou-a e jogou-a bem no rosto de Piotr Petróvitch. A nota o acertou na altura dos olhos e então caiu no chão. Amália Ivánovna apressou-se em pegar o dinheiro e dá-lo a Lújin, que estava profundamente ofendido e irritado. Katerina Ivánovna ficou parada diante dele, olhando-o desafiadoramente. Parecia que estava prestes a se atirar em cima dele.

CRIME E CASTIGO

– Segurem essa louca!

A essa altura, junto da porta, em volta de Lebeziátnikov, havia um grupo de curiosos que, ao ouvir os gritos de Katerina Ivánovna discutindo com Amália Ivánovna, viera ver o que estava acontecendo.

– Louca? Eu?! Imbecil! – ganiu Katerina Ivánovna. – Imbecil, canalha asqueroso! Como se atreve a acusar Sônia? Como? Sônia roubando dinheiro! – Um novo acesso de tosse interrompeu sua fala.

Então Katerina Ivánovna, em frenesi, agarrou Lújin pelo braço, puxando-o com força surpreendente até Sônia.

– Minha senhora... Eu... Por favor, contenha-se! – balbuciava ele. – Isto já é caso de polícia!..

– Vamos, Sônia! Esvazie os bolsos! – ordenou Katerina Ivánovna, ela mesma apressando-se em cumprir sua própria ordem.

A viúva esticou as mãos, apressada, e colocou o bolso esquerdo do avesso. Ali estava o pequeno porta-níqueis de Sônia. Katerina Ivánovna fez questão de abri-lo e mostrar a todos que ele estava vazio. Com ar triunfante, ela esticou novamente as mãos para Sônia e colocou do avesso o bolso direito, e então caiu no chão um papelzinho amassado, que foi parar aos pés de Piotr Petróvitch. Todos viram aquilo e muitos soltaram uma exclamação de surpresa. Lújin abaixou- -se tranquilamente, pegou o papel e desamassou com cuidado. Ergueu-o em seguida, esticado entre as duas mãos, às vistas de todos: era uma nota de cem rublos!

– *Ladron*! Vai *emborra*! *Forra*! *Forra*! – pôs-se a gritar Amália Ivánovna.

Ergueu-se um vozerio de todos os lados. Raskólnikov continuava calado, sem tirar os olhos de Sônia, só de vez em quando olhando para Lújin. Sônia permanecia parada no mesmo lugar, com os bolsos do vestido ainda do avesso, como se estivesse em choque. De repente, um rubor cobriu seu rosto e ela começou a chorar.

– Não fui eu! Não peguei nada! Não sei de nada! – gritava, com o coração aos saltos. Jogou-se nos braços de Katerina Ivánovna, chorando copiosamente. Apesar da fraqueza aparente, Katerina Ivánovna a segurou e apertou com força.

– Sônia! Eu não acredito, eu não acredito neles! – gritava, beijando e abraçando a enteada. – Que gentinha! Como podem acreditar em uma coisa dessas? Roubar! Como poderia Sônia roubar? Ela que preferiu ser... Preferiu trabalhar na rua para nos ajudar! Imbecis! Canalhas! – e então voltou-se a Raskólnikov: – Rodion Románovitch! O senhor não vai dizer nada? Também não acredita nessas mentiras, não é?

O choro, a miséria e a tísica de Katerina Ivánovna causaram uma forte impressão em todos os presentes, com exceção de Piotr Petróvitch.

– Minha senhora! – exclamou, com a voz empostada. – Não há o que dizer, os fatos falam por si. É evidente, a necessidade levou Sófia Semiónovna a pegar os cem rublos, mas por que a senhora não confessou desde o início? Teve vergonha, não é? É compreensível... – Lújin fez uma pausa, para causar efeito. – Mas não se preocupe. Eu perdoo a senhora. Perdoo e assunto encerrado.

Piotr Petróvitch olhou de esguelha para Raskólnikov. Os olhares se cruzaram. O rapaz fulminava Lújin com os olhos. Katerina Ivánovna, nesse momento, parecia não ouvir mais nada, continuava a abraçar e beijar Sônia. As crianças também haviam se aproximado e abraçavam a irmã. Pólia, a mais velha, esforçando-se para não chorar, encostara a cabecinha no ombro de Sônia.

– Que vilania! – ouviu-se alguém exclamar, em alto e bom som, junto da porta.

Todos viraram-se para aquela direção.

– Que vilania! – repetiu Lebeziátnikov, olhando Lújin nos olhos.

Piotr Petróvitch chegou até a engasgar e todos notaram. Lebeziátnikov caminhou pelo quarto.

– Como ousa inventar uma história dessas? – disse, aproximando-se de Lújin.

– O que significa isso, Andrei Semiónovitch?

– Significa que você é um caluniador! – exclamou Lebeziátnikov com furor. Estava tremendamente irritado.

– Se você... Se... – começou Piotr Petróvitch, gaguejando. – Ora, mas o que há? Perdeu o juízo?

– Estou em meu juízo perfeito, seu vigarista! Que vilania! Eu ouvi tudo, tudo! Estava esperando o momento certo... Queria entender o porquê disso tudo, mas ainda não entendi.

Foi a vez de Piotr Petróvitch devolver a Lebeziátnikov o sorriso sarcástico que recebera mais cedo.

– Está bêbado... – murmurou.

– Não, não estou! – gritou Lebeziátnikov – Não bebo nem vodca, e todos sabem! Eu vi, vi tudo! E estou disposto a prestar depoimento se for preciso. Achei que você tinha feito isso por generosidade, mas agora vejo que não, muito pelo contrário. Eu vi quando você colocou a nota no bolso da moça! Com uma mão a conduzia até a porta, com a outra colocou o dinheiro no bolso. Eu vi, vi tudo.

Lújin empalideceu. Mais uma vez, de todas as direções, ouviram-se exclamações de surpresa. Dessa vez, porém, essas exclamações se transformaram em comentários que adquiriam um tom cada vez mais irado. Todos começaram a cercar Piotr Petróvitch.

– Andrei Semiónovitch! – exclamou Katerina Ivánovna, indo em sua direção e caindo de joelhos. – Andrei Semiónovitch! Estava enganada a seu respeito! Proteja a Sônia! Ela é sozinha no mundo! Andrei Semiónovitch, meu querido! Por favor!

– Que sandice! – começou a berrar Lújin, possesso. – Que sandices está dizendo! Por que é que eu faria uma coisa dessas? O que teria a ganhar acusando uma órfã pobretona?

– O quê? Ora, como eu vou saber! Quando vi o que estava fazendo, achei que era por generosidade, "é uma surpresa para a moça", pensei. Mas não... Depois achei que era um teste, mas, pelo que vejo, não se trata disso.

– Pois eu posso explicar por que ele fez isso – disse Raskólnikov, por fim, dando um passo adiante.

Estava visivelmente decidido e tranquilo. Só de olhar para ele, todos ali tiveram certeza de que, de fato, sabia por que Piotr Petróvitch fizera aquilo.

FIÓDOR DOSTOIÉVSKI

– Para mim está tudo muito claro! – continuou Raskólnikov, dirigindo-se diretamente a Lebeziátnikov. – Desde o início, sabia que havia algo de podre quando ele apareceu, e o senhor, Andrei Semiónovitch, com seu precioso relato, me deu a certeza de que eu precisava. Fiquem todos sabendo que este senhor – ao dizer isso, apontou para Lújin – era noivo de minha irmã, Avdótia Románovna Raskólnikova.

Houve um murmúrio de espanto. Lújin olhava para Raskólnikov, raivoso e curioso ao mesmo tempo.

– Chegando a Petersburgo – continuou Raskólnikov –, o senhor Lújin foi pessoalmente me conhecer, mas brigou comigo e eu o expulsei de minha casa. É um homem mau... Naquele dia, eu ainda não sabia que ele morava aqui com Andrei Semiónovitch e ao lado do senhor Marmeládov, o finado marido de Katerina Ivánovna. Soube disso apenas quando encontrei minha mãe e minha irmã, pois este senhor Piotr Petróvitch Lújin escreveu a elas dizendo que eu dera todo o dinheiro que me enviaram para enterrar um bêbado e fez ainda observações mordazes a respeito do caráter e da honra de Sófia Semiónovna. Tudo isso com a intenção de me indispor com minha família, como podem imaginar. Ontem à noite, diante das duas e de Piotr Petróvitch, contei toda a verdade, que Marmeládov era meu amigo e que, até um dia atrás, eu jamais havia visto Sófia Semiónovna. Percebendo que minha mãe e irmã acreditavam em mim e não queriam se indispor comigo, este senhor começou a ofendê-las. Minha irmã rompeu o noivado, como era de se esperar, e o expulsou de sua casa.

À medida que contava a história, ouviam-se exclamações e comentários de todo tipo. Sônia continuava estática, como se pregada ao chão. Os olhos de Lújin brilhavam de ódio e fulminavam Raskólnikov.

– Tudo isso aconteceu ontem à noite – continuava o rapaz, agora em tom conclusivo –, de maneira que devemos entender que, provando que Sófia Semiónovna seria uma ladra, o senhor Lújin conseguiria provar à minha família que estava certo a meu respeito e que, colocando-se contra mim, estaria apenas preservando a honra de sua noiva, minha irmã. Em resumo, com essa atitude ele queria me indispor com

CRIME E CASTIGO

minha mãe e minha irmã, provando que eu gasto o dinheiro que elas me enviam com gente indigna. E digo mais: ao agir assim, vingou-se de mim pessoalmente, pois sabe que prezo mais que tudo a honra e a felicidade de Sófia Semiónovna. Eis aí o porquê!

Cessaram por um instante todos os comentários que pontuaram o relato do rapaz. Os olhares atentos da audiência pulavam de Raskólnikov para Piotr Petróvitch, que estava quieto e sorria com pretensão – embora estivesse muito pálido.

Parecia que Piotr Petróvitch estava repensando seu plano, procurando uma saída. Teria abandonado tudo e saído dali naquele exato momento, mas isso seria uma verdadeira confissão. Sônia olhava para Raskólnikov, como se tirasse dele forças para continuar ali. Katerina Ivánovna respirava com dificuldade e parecia esgotada. Já Amália Ivánovna, permanecia de pé quase no meio da sala, com uma expressão tola em seu rosto, como se tentasse entender o que estava acontecendo ali.

Antes que Raskólnikov pudesse voltar a falar, Lújin começou a ir embora, pedindo licença à multidão que se formara no quarto e no corredor. Todos gritavam com ele e tentavam impedir que saísse. O funcionário de risada escandalosa, há muito tempo bêbado, decidiu que não bastava ofender Piotr Petróvitch e gritar com ele: apanhou um copo da mesa e arremessou contra o "canalha", mas errou o alvo e o copo acabou acertando a cabeça de Amália Ivánovna. A velha guinchou de dor, enquanto o arremessador perdeu o equilíbrio e caiu pesadamente no chão. Aproveitando-se disso, Piotr Petróvitch escapuliu dali e meia hora depois já havia abandonado o prédio para sempre.

Sônia, assustada, detivera-se ali apenas na esperança de que tudo se resolvesse bem. Embora estivesse absolvida perante todos, a confusão continuava: vozes alteradas se erguiam, as pessoas se aglomeravam no quarto e Katerina Ivánovna, deitada no velho sofá, respirava com mais dificuldade, o chiado tomando conta de sua respiração. Por fim, a moça não aguentou mais e saiu correndo dali. Vendo isso, Amália Ivánovna, ofendida com o copo que recebera na cabeça, pôs-se a gritar:

– *Forra*! *Forra da* apartamento!

E com essas palavras, começou a agarrar todo e qualquer objeto de Katerina Ivánovna que lhe caía nas vistas, jogando tudo no chão e dizendo impropérios em alemão. A pobre Katerina Ivánovna, fraca e pálida, ergueu-se do sofá e avançou na senhoria, mas a luta foi desigual: Amália Ivánovna conteve a viúva pelos braços e a jogou no chão.

– Quanta injustiça, Deus do céu! Quanta injustiça! – exclamou, levantando-se debilmente. – Pólia, cuide de seus irmãos! E me espere aqui! Espere nem que seja na rua, mas me espere!

Dizendo isso, pegou um lenço puído que Amália Ivánovna jogara no chão e, cambaleante, abriu caminho entre as pessoas, saindo do quarto. Ouviram-se lamentos e risadas conforme ela passava. Assustada, a pequena Pólia escondeu-se com os irmãos atrás de um baú, enquanto a furiosa senhoria continuava a lançar pelos ares tudo que podia. A multidão foi se dispersando, alguns foram cuidar da própria vida, outras ficaram, beliscando o que restara do jantar, outros, os mais bêbados, começaram até a cantar. "Chegou minha hora", pensou Raskólnikov e saiu rumo ao apartamento de Sônia.

CAPÍTULO 29

Pelo caminho, Raskólnikov se perguntava o que deveria contar a Sônia. Contaria tudo, detalhe por detalhe? Ou faria apenas a confissão de seu crime e iria embora? Deveria falar sobre suas ideias? Deveria falar de Lizaveta? Estava decidido a contar toda a verdade a ela, mas à medida que se aproximava do prédio, sentia o medo tomar conta dele. Afinal, chegou ao apartamento e bateu à porta; ninguém respondeu, mas ele percebeu que estava aberta e decidiu entrar.

Sônia estava sentada em um canto, chorando, com as mãos cobrindo o rosto.

– O que seria de mim sem o senhor? – disse, levantando-se e aproximando-se como se estivesse esperando por ele todo o tempo.

– Ora, Sônia! – disse, com a voz trêmula, sentando-se na cadeira que ela acabara de desocupar – Não foi nada, foi só...

– Por favor, não fale comigo como falou ontem – pediu a moça e sorriu, um tanto insegura.

Sônia sentou-se na outra cadeira, de frente para Raskólnikov, como na véspera. Quis saber o que havia acontecido depois que saíra. Ao saber que Katerina Ivánovna fora despejada e saíra sem rumo, quis ir imediatamente atrás dela, mas Raskólnikov a deteve, dizendo que tudo se arranjaria e que Katerina Ivánovna viria atrás dela, se precisasse. Lújin tinha ido embora e, provavelmente, não traria mais problemas. O rapaz quis sorrir para tranquilizar Sônia, mas não teve forças. Em vez disso, meteu a cabeça entre as mãos.

De repente, sentiu um ódio inesperado e incontrolável de Sônia. Assustado com esse sentimento, ergueu a cabeça e olhou para ela, deparando-se com o olhar atencioso e solícito da moça. Havia amor naquele olhar, e o ódio de Raskólnikov desapareceu. Outra vez baixou a cabeça. Levantou-se da cadeira, pálido, caminhou pelo quarto e então sentou-se na cama de Sônia.

– O que há com você? – perguntou Sônia, preocupada.

Ele nada respondeu. Não sabia como começar. Ela aproximou-se em silêncio e sentou-se ao lado dele na cama, esperando e olhando para ele. O coração dela batia descompassado. A situação ficou insuportável: o rapaz virou-se de frente para ela, o rosto pálido, os lábios tremendo, tentando dizer alguma coisa. O coração de Sônia gelou de medo.

– Mas o que há? – repetiu ela.

– Nada... Não se assuste, é bobagem. Se parar para pensar, é bobagem – balbuciou. – Por que é que vim aqui atormentar você? Essa é a questão. Por quê?

Sônia olhava para ele, preocupada.

– Você lembra que ontem eu... Antes de ir embora... Eu disse que iria contar quem matou Lizaveta Ivánovna, lembra?

Um arrepio percorreu todo o corpo de Sônia.

– Pois eu vim contar.

– Então você... Sabe mesmo quem a matou? – sussurrou Sônia. Sua respiração ficou pesada e seu rosto empalideceu ainda mais.

– Sei.

– Já encontraram o culpado então?

– Não, não encontraram.

– Então como você sabe quem é?

– Adivinhe – disse, com um sorriso torto e débil.

– Por que... Por que está me assustando assim? Diga logo – respondeu Sônia, tentando parecer tranquila e sorrindo como uma criança.

– Acontece que... ele é um amigo meu... – continuou Raskólnikov, embora não soubesse exatamente como continuar. – Ele... não queria matar Lizaveta... É que ela apareceu, entrou no quarto e... Ele queria matar a velha, a irmã dela... Mas aí...

Passou um minuto terrível, em completo silêncio. Os dois se olhavam fixamente.

– Então, consegue adivinhar quem é? – perguntou Raskólnikov.

– N-não... – respondeu Sônia, em um sussurro quase inaudível.

– Olhe bem.

CRIME E CASTIGO

Apenas disse isso, teve outra vez uma sensação conhecida: olhou para Sônia e foi como se, em seu rosto, visse o rosto de Lizaveta. Ele se lembrou claramente da expressão de Lizaveta quando se aproximara dela com o machado e ela escorou-se na parede, cobrindo o rosto com as mãos. Quase a mesma coisa aconteceu com Sônia: foi com o mesmo medo e a mesma surpresa que ela olhou para Raskólnikov e então, lentamente, afastou-se dele, levantando-se da cama.

– Adivinhou?

– Meu Deus! – foi o que ela conseguiu dizer, horrorizada.

Sônia ficou estática por um minuto, olhando para Raskólnikov, torcendo as mãos sobre o peito. Então se aproximou, sentou-se ao lado dele, pegou suas mãos e as apertou com força. Era como se tentasse demonstrar com isso uma última esperança, mas não havia. Nem esperanças nem dúvidas, tudo era *exatamente* como ela imaginava.

– Chega, Sônia, chega – disse, desvencilhando suas mãos das de Sônia.

Agitada, Sônia levantou-se e andou um pouco pelo quarto, voltando a se sentar na cama, ao lado de Raskólnikov. De repente, sem nem saber o porquê, a moça deu um grito e caiu de joelhos diante dele.

– Por que fez uma coisa dessas? – e, chorando, puxou-o para junto de si e o abraçou com força.

Já fazia um tempo que um sentimento inquietante vinha tomando conta de Raskólnikov. Ele decidiu não resistir mais e duas lágrimas brotaram em seus olhos, escorrendo silenciosas pelo rosto.

– Não vai me abandonar, Sônia? – disse, quase sem esperanças.

– Não, não! Nunca! – exclamou Sônia. – Irei com você aonde for!

– Devo ser mandado aos campos de trabalho... Não sei...

Passado o primeiro sentimento de piedade, a ideia do assassinato tomou conta da mente da moça, deixando-a estupefata. Deu-se conta de que não sabia nem como nem por que cometera aquele crime. Centenas de perguntas pululavam em sua cabecinha, não podia acreditar que ele fosse um assassino. Seria possível?

– Estava passando fome, não estava? – arriscou ela. – Queria ajudar sua mãe?

– Não, Sônia, não – balbuciou. – Estava passando fome, é verdade... E queria muito poder ajudar minha mãe, mas... Não foi por isso... Chega, não me atormente mais!

Sônia jogou as mãos para o alto.

– Como isso pode ser verdade? Oh, Deus! Como? Então... – ela fez uma pausa e arregalou os olhos. – O dinheiro... O dinheiro que você deu a Katerina Ivánovna... Era dinheiro da...

– Não, Sônia! – disse ele, apressado. – Esse dinheiro foi minha mãe quem havia me mandado. Razumíkhin viu... Foi ele quem recebeu, para dizer a verdade. Era dinheiro meu, meu mesmo.

Sônia tentava encontrar uma razão para tudo aquilo.

– Para ser franco... Nem sei quanto dinheiro tem – acrescentou Raskólnikov, baixinho. – Peguei um porta-níqueis, mas não abri... E peguei outras coisas também, um anel, umas correntes... Coloquei tudo embaixo de uma pedra, nem sei quanto vale. Está tudo lá escondido.

– Mas então por que fez isso? Por quê? Foi roubar e não fez nada com o que pegou...

– Não sei... Não decidi o que fazer com o dinheiro – disse, e deu uma risadinha – É, que bobagem fui fazer, não é?

Sônia começava a se perguntar se ele não estaria louco. Logo abandonou essa ideia, o caso era outro, mas ela não podia entender qual!

– Sônia, meu coração é mau, isso é que explica tudo. Foi por isso que vim até aqui, porque sou mau. Sou um covarde, um canalha! Sou... Não importa... Preciso contar tudo, mas não sei por onde começar...

Ele parou por um instante, perdido em pensamentos.

– Somos muito diferentes! – exclamou. – Não somos par um do outro... Não devia ter vindo aqui, nunca vou me perdoar!

– Fez bem em vir, fez muito bem – interrompeu Sônia. – Foi melhor que eu soubesse, poderei ajudar.

– Pois eu queria me tornar um Napoleão, por isso matei... Agora você entende?

– N-não – murmurou inocentemente Sônia. – Mas fale, fale tudo que precisar... Eu vou entender.

Novamente ele se calou e ficou pensativo: por onde começar?

CRIME E CASTIGO

– A história começa assim: eu me perguntei, certa vez, o que aconteceria se Napoleão estivesse no meu lugar, mas, em vez do Egito, de Toulon, dos Montes Brancos, o único obstáculo fosse uma reles velhota usurária. Seria preciso apenas matá-la, o que seria muito simples de fazer, e pegar algum dinheiro. Mas dinheiro que seria usado, que teria um fim digno... Seria isso um grande pecado?

Sônia parecia não estar entendendo. Raskólnikov olhou para ela com tristeza e pegou suas mãos.

– Você bem sabe que minha mãe não tem quase nada. Foi por acaso que minha irmã conseguiu se educar, mas estava fadada a ser governanta para sempre. Todas as suas esperanças estavam depositadas em mim. Vim estudar na faculdade de Direito, mas não tive condições de me manter. Se tivesse conseguido, talvez daqui a dez anos me tornasse professor ou quem sabe funcionário público, com mil rublos de pensão... Mas até isso acontecer, minha mãe já teria se consumido de preocupação e minha irmã... Quem sabe o que poderia acontecer! Para que levar os estudos adiante então? Se de uma forma ou de outra, as duas continuariam a sofrer... Decidi me apossar do dinheiro da velha e usá-lo para me manter por uns anos. Deixaria de preocupar minha mãe, aí então poderia voltar aos estudos, me manter e começar uma carreira... Matei a velha e fiz muito mal, mas... É isso, que se pode fazer?

Chegando ao fim da história, ele deixou cair a cabeça.

– Não, não pode ser! – exclamou Sônia, aflita.

– Mas é assim como você ouviu! É a verdade!

– E que verdade, meu Deus!

– Eu matei um piolho, Sônia, um piolho inútil, mau, feio.

– Como pode um ser humano ser um piolho?!

– Para mim, era um piolho – respondeu, olhando estranhamente para ela. – Mas eu não disse tudo, Sônia... Faz tempo que não converso com ninguém.

Seu rosto e os olhos ardiam em febre, e ele já começava como que a delirar. Um sorriso inquieto aparecia e desaparecia de seus lábios. Sentia as forças se esvaindo. Sônia entendia o quanto ele estava sofrendo. Ela mesma sentia a cabeça rodar com toda aquela história.

FIÓDOR DOSTOIÉVSKI

– Não, Sônia, não é nada disso – recomeçou ele. – Acabei de dizer que eu não podia me manter na faculdade. Mas a verdade é que podia, e posso. Minha mãe mandaria dinheiro e eu trabalharia para comprar pão, roupas. Daria aulas, como Razumíkhin dá! Mas não. Senti raiva e não quis. Foi isso mesmo, senti *raiva* e então me enfurnei no meu canto, como uma aranha. Você mesma viu onde moro... Odiava, odiava com todas as forças aquele buraco, mas não tinha forças para sair de lá. Precisava estudar, precisava comer, mas não queria. Gostava só de ficar deitado, pensando no escuro. E eu pensava e pensava, tinha sonhos estranhos...

Raskólnikov falava, mas, embora olhasse para Sônia, já não se importava se ela entendia ou não. A febre o tinha tomado por completo, deixando-o em um êxtase sombrio. Sônia entendia que aquele catecismo sombrio havia se tornado a fé e a lei dele.

– Eu entendi então, Sônia – continuava ele, entusiasmado –, que o poder é dado apenas àqueles que ousam se arriscar para tomá-lo. Basta arriscar! De repente, tive essa ideia, essa ideia da qual ninguém nunca havia me falado, e tudo ficou claro como o dia: bastava arriscar. E eu quis arriscar e matei...

– Chega! Não diga mais nada! – gritou Sônia, agitando as mãos.

– Não posso me calar, Sônia, não posso – respondeu. – Já remoí tudo, já pensei em todas as possibilidades, sozinho, deitado no escuro... Será que eu tinha o direito? Era uma pessoa ou um piolho? Agi como Napoleão ou não agi? Agora sei que não sou como Napoleão. Cheguei à conclusão, Sônia, que foi um delírio. Eu matei a velha e foi um delírio, um desatino. Matei por matar, porque quis. Não foi por causa de dinheiro, que eu tanto precisava. A verdade é que precisava saber: eu sou um homem ou um piolho? Sou apenas uma criatura má por natureza ou tenho o *direito* de...

– De matar? O direito de matar? – interrompeu Sônia.

Raskólnikov se calou, apoiou os cotovelos sobre os joelhos e enterrou a cabeça entre as mãos.

– Quanto sofrimento! – murmurou Sônia com pesar.

CRIME E CASTIGO

– Mas o que posso fazer agora? Diga! – perguntou, olhando para ela com o rosto desesperado.

– O que fazer? – exclamou ela, levantando-se de repente, com os olhos brilhantes de lágrimas. – Levante-se! Levante-se e vá até uma encruzilhada, ajoelhe e beije o chão, beije a terra que você maculou, peça perdão e grite aos quatro ventos: "Eu matei!". Só assim Deus dará uma nova vida a você.

Sônia tremia um pouco ao dizer isso, mas mantinha o olhar firme em Raskólnikov. Ele, por sua vez, surpreendeu-se com a fala veemente da moça.

– Devo me entregar então? É isso que preciso fazer, Sônia? – perguntou sombriamente.

– Aceitar o sofrimento e expiar os pecados, eis o que é necessário.

– Não, não vou me entregar!

– E como vai seguir a vida? Como? Como vai falar com sua mãe e... Mas o que estou dizendo? Você abandonou sua família, e se abandonou, abandonou e pronto. O que vai ser agora? Viver atormentado a vida toda?

– Vou me acostumar – disse, ponderando lugubremente. – Mas ouça, chega de tanto chorar. Eu vim aqui lhe contar que já estão me procurando...

– Oh! – fez Sônia, assustada.

– Para que esse susto? Você mesma não queria que eu me entregasse? Por enquanto, surgiram circunstâncias que me inocentam, mas em breve voltarão a me procurar... E vão me prender. Só queria que você soubesse... – Parou por um instante, como se refletisse, então acrescentou: – Você vai comigo quando eu for preso? Quando me mandarem para a Sibéria?

– Vou!

Sentaram-se lado a lado, tristes e mortificados, como se estivessem sozinhos em uma margem deserta depois de enfrentar uma terrível tempestade. Ele olhava para Sônia e sentia o quanto ela o amava; então, estranhamente, começou a sentir-se perturbado em saber que alguém o amava tanto. Era uma sensação estranha e terrível! Ali, perto de Sônia, sentia que nela jaziam todas as suas esperanças, ela era sua salvação.

– Sônia – disse ele – é melhor você não ir me ver, quando eu for preso...

Sônia nada respondeu: estava chorando. Passaram-se alguns minutos em silêncio, em que só se ouvia seu choro baixinho.

– Você tem uma cruz? – perguntou de repente, como se tivesse acabado de se lembrar.

Ele outra vez pareceu não entender a pergunta.

– Não tem, não é? – continuou, tirando uma correntinha do pescoço. – Tome, pegue esta. Eu tenho outra, de metal, uma que Lizaveta me deu. Você fica com esta, eu fico com a outra. Pois se vamos ficar juntos, se vamos sofrer juntos, temos de carregar juntos a cruz.

– Está bem... – disse Raskólnikov, não querendo afligi-la. Estendeu a mão para receber a cruz, mas em seguida recuou. – Não agora, Sônia, melhor depois...

– Sim, depois, depois é melhor – repetiu Sônia, com entusiasmo. – Quando for se entregar, venha pegá-la. Venha me ver, vamos rezar e iremos juntos.

Nesse instante, bateram à porta.

– Sófia Semiónovna? Está em casa? – ouviu-se a voz polida de alguém.

Sônia lançou-se em direção à porta, assustada. Ela abriu e a cabeça loura do senhor Lebeziátnikov surgiu no limiar.

– Boa noite... – disse ele com educação. – Vim até aqui falar de Katerina Ivánovna. É que ela... bem... enlouqueceu.

CAPÍTULO 30

Katerina Ivánovna, saindo de casa, fora buscar ajuda na casa de não se sabe qual general, que não a recebeu. Quando voltou, foi, de fato, expulsa do apartamento de Amália Ivánovna. Agora, vagava pelas ruas com as crianças e umas trouxas de roupas. Perdera a razão por completo. Ao saber disso, Sônia acompanhou, apressada, Lebeziátnikov até o local em que estava Katerina Ivánovna. Raskólnikov, por sua vez, decidiu que precisava antes passar em casa.

"Por que fui falar com ela?", pensava pelo caminho. "Não devia ter ido até lá. Para que envolvê-la nessa história? É tudo tão abjeto." Caminhava, como sempre, imerso em seus pensamentos e chegou a seu quarto como que por instinto.

Assim que entrou, deitou-se no sofá. "Vou ficar sozinho. *Tenho* de ficar sozinho, Sônia não deve ir comigo a lugar nenhum, tem de seguir sua vida." Passados alguns minutos, ouviu a porta se abrindo. Era Dúnia. Ela parou um instante, olhou para o irmão, que se erguera no sofá, e então rapidamente se sentou em uma cadeira diante dele.

– Não se zangue, meu irmão. Irei embora em um minuto – disse. Seu semblante estava pensativo e inflexível. – Eu sei de tudo. Tudo. Dmitri Prokófitch me contou e me explicou. Estão atormentando você com suspeitas infundadas...

Dúnia fez uma pausa, observando o irmão. Raskólnikov estava de cabeça baixa, evitando olhar diretamente para a irmã.

– Dmitri Prokófitch – continuou ela – diz que não há perigo algum, que tudo vai passar, mas eu entendo sua situação e tenho medo de que algo aconteça. Entendo mesmo, eu também preferiria ficar só, em uma situação como essa. Não direi nada à mamãe, é claro. E não precisa se preocupar, eu cuidarei dela. Direi que você virá nos ver... E venha, por favor, uma última vez... Era isso que eu queria dizer – concluiu Dúnia, levantando-se. – Adeus, meu irmão.

Ela se virou e foi até a porta.

– Dúnia! – chamou Raskólnikov, levantando-se e aproximando-se dela. – Razumíkhin... Dmitri Prokófitch, é um homem muito bom.

A irmã olhou para ele com ar interrogativo.

– É trabalhador, honrado e capaz de amar... Adeus, Dúnia.

– Mas por que está me dizendo isso?

– Por nada... Adeus.

Raskólnikov deu as costas e foi até a janela. Dúnia ficou parada um instante antes de ir embora, preocupada.

Não é que fosse frio com a irmã. Queria tê-la abraçado e pedido perdão, mas não soube o que dizer, nem queria ter contado toda a verdade, mas se perguntava se Dúnia aguentaria aquela notícia. Era provável que não...

De repente, lembrou-se de Sônia. Afastou-se da janela, pegou o boné e saiu em disparada.

Foi diretamente ao quarto que os Marmeládov alugavam de Amália Ivánovna. Alguns moradores estavam no pátio e contaram que, de fato, Katerina Ivánovna saíra havia algum tempo com as crianças. Apontaram a direção em que ela fora, e Raskólnikov seguiu por ali.

Algumas quadras depois, em uma pequena praça, avistou uma aglomeração e ouviu a voz roufenha de Katerina Ivánovna. E, que coisa estranha, parecia estar cantando! A princípio, Raskólnikov duvidou do que estava ouvindo, mas conforme se aproximava percebeu que, de fato, ela estava mesmo cantando.

A pobre mulher, usando um vestido gasto e um xale esfiapado, estava no mais completo delírio. Visivelmente cansada e ofegante, ela cantava diferentes estrofes de várias canções em russo, em francês e até em alemão, ralhando de pouco em pouco com as crianças para que cantassem com ela. Lida e Kólia choravam, equanto Pólia os segurava pela mão, com o rosto assustado. Às vezes, Katerina Ivánovna parava de cantar e, voltando-se ao público, pedia ajuda, dizia ser uma "dama vinda de uma família aristocrata", que "caíra em desgraça". Os que estavam ali em volta pareciam escutar mais por curiosidade do que por pena. Sônia andava atrás de Katerina Ivánovna, insistentemente, chorando e implorando para que voltassem para casa, mas a viúva estava irredutível.

– Basta, Sônia, basta! – gritou ela. – Você mesma sabe que não tenho mais casa! Pois agora Petersburgo inteira verá as crianças de uma família nobre cantarem e dançarem para não morrer de fome!

Ela tirou uma velha frigideira e uma colher das trouxas que traziam e pôs-se a bater nela, como se quisesse marcar o ritmo de alguma dança. As crianças continuavam em choque, observando a mãe delirante.

– Katerina Ivánovna – interveio Raskólnikov –, vamos para casa, não fica bem uma senhora tão distinta assim no meio da rua... Vamos para casa, sei que logo conseguiremos uma pensão por viuvez para a senhora...

Por um instante, pareceu que aquela tentativa de apelar ao orgulho ou mesmo ao bom senso de Katerina Ivánovna havia funcionado. A mulher parou de cantar e bater na frigideira, olhando fixamente para Raskólnikov.

– Pensão! – gritou fora de si – Não, não, Rodion Románitch, o sonho acabou, não nos resta mais nada! Nada, só a rua! Vamos, Pólia, venha cantar comigo para seus irmãos dançarem.

Ela puxou a filha mais velha pelo braço e colocou-a a seu lado. Começou a cantar tão alto quanto podia uma canção popular francesa.

Malborough s'en va-t-en guerre,
Ne sait quand reviendra...

– Vamos, menina! Cante comigo! – ordenou ela, e Pólia começou a cantar muito baixinho o refrão.

Katerina Ivánovna, então, lançou-se sobre os filhos mais novos, querendo obrigá-los a dançar. Kólia, assustado, desvencilhou-se da mãe e saiu correndo praça afora. A pequena Lida, como que por instinto, foi atrás dele. E atrás dos dois saiu Pólia, desesperada.

– Kólia! Lida! Aonde vão? – gritou Katerina Ivánovna, e recomeçou a canção.

Il reviendra z-à Pâques, Mironton, mironton, mirontaine...

Sônia, completamente desnorteada, não sabia se ia atrás das crianças ou se ficava ali, tentando conter Katerina Ivánovna. Pouco depois, Pólia voltava trazendo os chorosos irmãos pelas mãos. A mãe, mais ofegante do que nunca, começara a tossir.

– Está morrendo – comentou alguém na multidão.

– Está é louca – disse outro.

– Ou bêbada – acrescentou um terceiro.

Tossindo sem parar e ficando sem ar, Katerina Ivánovna acabou sendo convencida a sair dali. O lenço que usava para cobrir a boca estava todo manchado de sangue. Lebeziátnikov ajudou a conduzi-la até a casa de Sônia, enquanto Raskólnikov e as crianças encarregavam-se das trouxas. Chegando ao modesto lar da moça, colocaram Katerina Ivánovna sobre a cama. Lebeziátnikov foi chamar um médico.

– É aqui que você mora, Sônia? – começou a viúva, com esforço. – Nunca vim visitá-la... – e continuou, olhando tristemente para a enteada. – Nós acabamos com você, Sônia... Pólia, venha cá... Traga seus irmãos... Acabou o baile, podem descansar... Sônia, cuide deles, cuide deles para que eu possa morrer em paz.

Sônia nada respondeu, apenas agarrou a mão esquálida de Katerina Ivánovna e chorou. A viúva respirava com dificuldade e parecia ter caído em uma espécie de esquecimento. O rosto pálido começou a perder as poucas cores que lhe restavam, a respiração ficou mais lenta, porém mais calma. De repente, ela teve um estertor, respirou fundo e morreu. Sônia jogou-se sobre seu corpo, chorando, enquanto Pólia fazia carinho nas pernas da mãe, com os irmãos agarrados à sua cintura.

Sem saber o que fazer, Raskólnikov saiu dali. Assim que abriu a porta para o corredor, deparou-se com Svidrigáilov. Os dois se olharam por um instante, desconfiados um do outro.

– Rodion Románovitch, preciso trocar duas palavrinhas com o senhor – disse Svidrigáilov, aproximando-se e conduzindo-o pelo braço até um canto afastado do corredor. – Não precisa se preocupar com o enterro de Katerina Ivánovna e todas essas coisas. Providenciarei tudo. E mais: darei a Sófia Semiónovna algum dinheiro para cuidar das crianças, colocá-las em uma escola e assegurar-lhes um bom futuro. Darei a ela algum dinheiro para que cuide de si, para que mude de vida. Estamos entendidos? O senhor depois poderá informar Avdótia Románovna que destino tiveram os rublos que eu pretendia dar a ela.

– E com que interesse o senhor está sendo tão generoso? – quis saber Raskólnikov.

– Mas que rapaz desconfiado! – riu Svidrigáilov. – Eu já disse que tinha esse dinheiro sobrando. Sófia Semiónovna precisa de ajuda e merece ser ajudada, afinal de contas, ela não é um "piolho" qualquer, como uma certa velha usurária, não é mesmo?

Ao dizer isso, ele deu uma significativa piscadela e em seguida ficou observando atentamente o rosto de Raskólnikov. O rapaz empalideceu e sentiu um frio percorrer sua espinha ao ouvir aquilo.

– Como é que você sabe? – sussurrou quase sem ar.

– Sou vizinho de Sófia Semiónovna.

– Vizinho?

– Pois sim – continuou Svidrigáilov, rindo. – E devo dizer, meu caríssimo Rodion Románovitch, que o senhor despertou imensamente o meu interesse. Eu não disse que iríamos nos entender cedo ou tarde?

Dizendo isso, ele deu outra piscadela e voltou a seu quarto, deixando Raskólnikov sozinho no corredor.

CAPÍTULO 31

Raskólnikov passou os dois dias seguintes ao falecimento de Katerina Ivánovna em completa apatia. Era como se uma névoa muito densa tivesse caído sobre ele, engolfando-o em uma profunda solidão. Ele voltou a caminhar, sem rumo, pelas ruas de Petersburgo.

Lembrava-se de Sônia, caindo sobre o cadáver da madrasta e chorando. Embora essa lembrança perturbasse Raskólnikov, o que mais o atormentava era o que se passara a seguir. Ao sair do quarto de Sônia, depois de deixá-la ali com as crianças, ele encontrara Svidrigáilov. E era isso que mais o atormentava.

Era essa a lembrança que mais atormentava o rapaz agora: Svidrigáilov sabia de tudo e o tinha em suas mãos. Não sabia o que fazer. Precisava encontrá-lo, mas como? Onde? Perdido em pensamentos, conjeturando possibilidades, deixava-se estar no sofá. Depois, levantava-se lentamente e saía para caminhar a esmo. Não encontrava ninguém conhecido nessas caminhadas e mesmo se isso ocorresse, certamente não o reconheceriam.

Lembrando-se desses dias, muito tempo depois, a Raskólnikov parecia que havia perdido a consciência por completo, tomado por uma sensação mórbida de catástrofe. Estava firmemente convencido de que cometera muitos erros, não havia mais o que fazer. Sentia, de hora em hora, um arrepio soturno percorrer-lhe a espinha. Achava que era o desespero, mas era a febre que novamente tomava conta de seu corpo. A cabeça girava, os fatos se embaralhavam. Lembrando-se de Dúnia e da mãe, era tomado de pânico: o que fariam elas quando soubessem a verdade? Quem as ajudaria? Nesse estado febril e quase delirante, caía no sono e despertava sempre muito cedo, depois caminhava pelo quarto e, invariavelmente, saía para a rua, tomando caminhos cada vez mais labirínticos pelas vielas da cidade.

CRIME E CASTIGO

Na manhã do terceiro dia após a morte de Katerina Ivánovna, Raskólnikov acordou cedo como de costume. Dessa vez, porém, sentia a cabeça fresca e parecia que as ideias haviam se assentado em seus devidos lugares.

A porta do quarto se abriu de mansinho e Nastássia entrou, trazendo o desjejum. Ele comeu com apetite. Pouco depois, a porta tornou a se abrir e entrou Razumíkhin.

– Ora, vejam! Não está doente, afinal! – disse, puxando uma cadeira para se sentar defronte a Raskólnikov. – Por onde tem andado? Avdótia Románovna e sua mãe estão muito aflitas atrás de notícias suas. É verdade que disse que nunca mais vai vê-las? Ficou louco?

Raskólnikov nada respondeu.

– Bem... – continuou Razumíkhin. – Sua mãe está terrivelmente aflita, tem certeza de que você está doente e não tem ninguém para cuidar de você. Eu, por minha vez, rodei a cidade toda atrás de você. Fui até a casa de Sófia Semiónovna, no dia do funeral de Katerina Ivánovna. Nada. Encontrei só a moça, as crianças chorando e o caixão. Cheguei a pensar que você tinha enlouquecido de vez, agora chego aqui e encontro você tomando o desjejum, como se nada tivesse acontecido... Já não sei mais o que fazer.

Raskólnikov permanccia cm silêncio. Razumíkhin também calou por alguns minutos até que pareceu perder a paciência e levantou-se para ir embora, mas deteve-se à porta.

– Sua irmã recebeu uma carta – disse.

– Uma carta? De quem? – quis saber Raskólnikov, falando pela primeira vez desde que o amigo entrara.

– Do tal Svidrigáilov.

Outra vez ficaram calados.

– Adeus, Ródia – disse Razumíkhin.

Apressou-se em ir embora, mas assim que saiu, voltou atrás e, ainda segurando a maçaneta da porta, disse, olhando para os lados, como se quisesse ter certeza de que ninguém mais estava ouvindo:

– Lembra-se do assassinato da velha, aquele que Porfiri Petróvitch estava investigando? Pois então, encontraram o assassino. Foi um dos pintores do andar de baixo. Ele mesmo foi até Porfiri confessar. Toda aquela briga nas escadas com o amigo, lembra? Tudo encenação, era só para despistar.

– Como é que você ficou sabendo disso e por que lhe interessa tanto? – disse Raskólnikov, visivelmente incomodado.

– Fiquei sabendo do próprio Porfiri, ora.

– Do próprio Porfiri?

– Sim.

Outra vez se calaram. Razumíkhin ficou parado ainda um instante atrás da porta, segurando a maçaneta.

– Bem, adeus – despediu-se mais uma vez e foi embora de fato.

Assim que Razumíkhin saiu, Raskólnikov levantou-se, aproximou-se rapidamente da janela, como se esperasse ver alguma coisa ou alguém caminhando pela rua. Em seguida deu uma volta no quarto e tornou a sentar-se. Outra vez a cabeça fervilhava!

"Tudo se resolveu, então!", pensou Raskólnikov. "Porfiri Petróvitch acredita que o pintorzinho Mikolka é o assassino. Mas depois disso eu confessei tudo a Sônia... Foi um momento de fraqueza que pôs tudo a perder! E tem ainda Svidrigáilov. Svidrigáilov, eis a questão! O que fazer?" Ele se levantou, pegou o boné e recomeçou a caminhar pelo quarto. "Tenho de dar um fim em Svidrigáilov. E o mais rápido possível."

Nesse momento, foi tomado por um sentimento enorme de ódio. Tinha vontade de matar Svidrigáilov como matara a velha Aliona Ivánovna. Decidiu sair e encontrar-se com ele, onde quer que estivesse. Mas assim que abriu a porta para sair, deu de cara com Porfiri Petróvitch.

CAPÍTULO 32

Curiosamente, Raskólnikov não estranhou a presença de Porfiri Petróvitch ali.

– Não esperava receber visitas, não é mesmo, Rodion Románytch? – gritou Porfiri, gargalhando. – Faz tempo que eu queria vir, mas não pude. Você estava de saída? Não se prenda por mim, por favor. Serei rápido. Um cigarrinho apenas e já me vou.

– Sente-se, Porfiri Petróvitch, sente-se – disse Raskólnikov em tom cortês. Sabia que dificilmente a visita de Porfiri seria rápida, com todas as histórias e duplos sentidos que lhe eram peculiares. "Pois que fale, fale o quanto quiser!", pensou o rapaz consigo mesmo. O juiz sentou-se em uma das cadeiras e acendeu um cigarro. Raskólnikov voltou a se sentar no sofá. Os dois ficaram em silêncio enquanto ele fumava.

– Ah, esse cigarrinho! – disse Porfiri Petróvitch, terminando de fumar. – Sei que faz mal, de verdade faz mal, só que não consigo largar. Mas assim é a vida, não é? Nunca conseguimos largar aquilo que nos faz mal...

"Lá vem ele com essas conversas fiadas... O que será que pretende?", pensou Raskólnikov, enfadado, enquanto Porfiri Petróvitch continuava palestrando a respeito dos cigarros e seus malefícios.

– Mas eu vim aqui me explicar, caro Rodion Románytch – disse, por fim. – Vim aqui ontem, inclusive, mas o senhor não estava. A porta estava aberta. Não tem o costume de trancá-la?

O rosto de Raskólnikov turvou-se. Porfiri percebeu que seu interlocutor se tornava mais e mais sombrio e logo deduziu o que estaria pensando.

– Bem, em sua visita ao meu escritório tivemos um ligeiro contratempo, não foi? Pois então, eu decidi que devemos ser francos um com o outro de agora em diante. O pintor de paredes nos interrompeu, e eu não tive tempo de mostrar minha surpresinha.

Porfíri Petróvitch fez uma pausa dramática, encarando com atenção as feições de Raskólnikov. O rapaz sentia o sangue todo ferver de raiva, mas, ao mesmo tempo, sentia uma curiosidade imensa em saber o que o juiz tinha a dizer.

– Bem – recomeçou Porfíri Petróvitch finalmente –, a minha surpresinha era o zelador do prédio da senhora Aliona Ivánovna, que um dia antes viera me procurar para acusar o senhor de assassinato. Ele estava na sala contígua, ouvindo tudo que se passava entre nós, mas a chegada do tal Mikolka, ou seja lá como o chamam, acabou por convencê-lo de que o senhor era inocente. O homem ficou tremendamente perturbado, imagine, por acusar uma pessoa inocente.

Porfíri Petróvitch fez uma pausa. Raskólnikov ouvia com atenção e sentia novamente a cabeça rodar. Então, de fato, houvera alguém que pretendia acusá-lo formalmente pelo assassinato da velha. "Mas disso também o destino se encarregou", pensou. "Resta apenas Svidrigáilov..."

– A coisa toda me parecia ainda estranha, todavia – continuou Porfíri Petróvitch. – Se tivesse um indício, apenas uma pista... Porque, veja bem, Rodion Romány tch, serei franco e contarei tudo como entendo a situação: esse Milkolka, não posso acreditar que seja o culpado.

– Mas Razumíkhin esteve aqui há pouco e me contou que o senhor disse-lhe que Mikolka era, sem dúvidas, o culpado.

– Ora, o senhor Razumíkhin deveria prestar mais atenção ao que eu digo – riu-se Porfíri Petróvitch –, e também pensar bem no que sai dizendo por aí. Não, não creio que Mikolka seja o culpado. Há muita coisa mal explicada. Como poderia ter subido e matado a velha em tão pouco tempo?

Porfíri Petróvitch fez outra pausa e olhou para Raskólnikov, analisando atentamente suas reações.

– Além disso, ele não conhecia Aliona Ivánovna – continuou, tamborilando os dedos na mesa. – Quero dizer, por que alguém que jamais

CRIME E CASTIGO

penhorou algo em sua vida mataria uma usurária? Faz sentido para o senhor?

Raskólnikov permaneceu calado.

– E por que não fugiu? – Porfiri Petróvitch retomou o raciocínio. – Certamente teve tempo. Diz que está arrependido e quer pagar por seu crime, mas mesmo assim não estou convencido. Ele não nos disse onde estão os objetos roubados, aliás, parece simplesmente não saber. Enfim, meu caro Rodion Romántych, os detalhes não se encaixam. Simplesmente não se encaixam. Mikolka não matou a velha.

– Então... Quem foi que matou? – perguntou com a voz trêmula.

Porfiri Petróvitch chegou até mesmo a desencostar as costas da cadeira, tamanha sua surpresa diante de tal pergunta.

– Como "quem matou"? – repetiu, como se não acreditasse no que acabara de ouvir. – O *senhor* matou, Rodion Romántych.

Raskólnikov ergueu-se do sofá e ficou parado diante de Porfiri Petróvitch, sem dizer uma palavra. Depois, sentou-se novamente, sentindo o rosto repuxar.

– Ora, meu querido, parece que o senhor não me entendeu desde o início. Eu vim aqui conversar e deixar tudo às claras.

– Não matei ninguém – sussurrou Raskólnikov, como uma criança assustada. Não esperava em absoluto que Porfiri Petróvitch viesse confrontá-lo de forma tão direta.

– Foi o senhor, Rodion Romántych, o senhor e ninguém mais   afirmou peremptoriamente Porfiri Petróvitch.

Ficaram ambos calados, e aquele silêncio se prolongou longa e estranhamente. Raskólnikov apoiara os cotovelos na mesa e, com a cabeça enfiada nas mãos, emaranhava os cabelos. Porfiri Petróvitch mantinha-se sentado, esperando placidamente. De repente, Raskólnikov ergueu a cabeça e olhou com desprezo para o juiz.

– Se tem tanta certeza de que sou eu o culpado, por que não me prende de uma vez? – perguntou, irritado.

– É uma boa pergunta! Em primeiro lugar, não seria vantajoso prender o senhor agora.

– Não seria vantajoso? Se está tão certo de que...

– O senhor poderia se opor, neste momento, poderia apresentar contra-argumentos – respondeu Porfiri Petróvitch calmamente. – Em segundo lugar, eu lhe devia uma explicação, como disse desde o começo. Não poderia simplesmente chegar aqui e prendê-lo, não seria educado. E, em terceiro lugar, tenho uma proposta.

– Proposta? – repetiu Raskólnikov, ofegante.

– Sim. Veja, meu caro, o senhor pode se apresentar à delegacia por livre e espontânea vontade. Será bem melhor assim. Poderemos até conseguir uma atenuação de pena, sabe. O que lhe parece?

Raskólnikov pensou por um minuto.

– Porfiri Petróvitch, o que acontece se o senhor estiver enganado?

– Acontece que não estou, meu caro.

– E se eu fosse mesmo o culpado, o que absolutamente não sou, por que é que me entregaria?

– Pela atenuação da pena, como eu acabei de lhe dizer.

– Eu não iria querer atenuação nenhuma!

– Era isso que eu temia... – observou Porfiri Petróvitch, olhando com pena para Raskólnikov. – Pense bem, meu caro, o senhor é jovem, ainda há vida pela frente. Considere a proposta. Do contrário, serei obrigado a prendê-lo.

Raskólnikov respirou fundo.

– E quando o senhor pretende vir me prender?

– Daqui um dia ou dois, no máximo. Por ora, o senhor pode passear um pouco e pensar.

– E se eu resolver fugir? – perguntou Raskólnikov, rindo de modo estranho.

– Não, o senhor não vai fugir – respondeu Porfiri, sereno. – Um mujique fugiria, algum estudante de uma seita qualquer fugiria, mas o senhor... O senhor já não acredita mais em sua teoria, por que haveria de fugir? Uma fuga agora seria muito difícil, seria infame. E digo mais: não só o senhor não fugirá como virá se entregar, confessar e aceitar os sofrimentos de sua pena. Mesmo com atenuantes. Porque existe uma grandeza em se entregar e aceitar as consequências, não é mesmo? E o senhor quer a grandeza, não quer? É por isso que sei que o senhor não vai fugir.

Raskólnikov levantou-se e apanhou o boné. Porfíri Petróvitch também se levantou.

– Vai passear? A noite está muito agradável...

– O senhor, Porfíri Petróvitch, não meta na cabeça que eu já confessei tudo nesta noite. O senhor é um homem muito estranho. Lembre-se: eu não confessei nada.

– Ah, sim, é claro, hei de me lembrar. Não se preocupe, meu querido, será feita sua vontade. Pode passear, mas não vá muito longe, hein? Só tenho um pedido a fazer. Coisa simples. Se nas próximas horas lhe vier à cabeça a ideia de encerrar toda essa história de uma outra forma, uma forma mais... fantástica, digamos assim, antes de dar cabo de si, deixe um bilhetinho confessando tudo. É só, não vou mais detê-lo aqui. Adeus...

Porfíri saiu, ligeiramente curvado, como se não quisesse olhar para Raskólnikov. Este aproximou-se da janela, esperou até que visse o juiz de instrução desaparecer pela rua e então saiu às pressas.

CAPÍTULO 33

Raskólnikov apressou-se rumo à casa de Svidrigáilov. Sua cabeça fervia: como podia Porfiri Petróvitch ter tanta certeza de sua culpa? Teria Svidrigáilov deposto secretamente contra ele? Não sabia de qual dos dois sentia mais raiva naquele momento. "Vou matá-lo", pensava. "Vou matá-lo e acabar com essa história. Matá-lo e sumir."

A passos rápidos, logo chegou à esquina da rua onde vivia Svidrigáilov. Teve tempo de vê-lo saindo de casa e entrar em um coche de aluguel. Estancou, sem saber o que fazer. Para onde estaria indo? Percebendo que não havia o que fazer, deu as costas e voltou, tão rapidamente quanto viera, para sua casa.

Ao chegar a uma das pontes que atravessara, parou e ficou olhando para as águas do Rio Nievá. Estava tão perdido em pensamentos que não percebeu que Dúnia atravessava a mesma ponte, vinda da outra margem. Esta, por sua vez, tomou Raskólnikov por um qualquer e seguiu seu caminho, cuidadosa, até o edifício em que vivia Svidrigáilov.

Ao chegar ao edifício, Dúnia viu que Svidrigáilov vinha vindo da direção oposta.

– Bem, boas noites – disse ele, cortês. – Vamos entrando, não quero que seu irmão nos veja.

– Meu irmão?

– Sim. Desci para esperá-la e o vi se aproximar. Por sorte, um coche acabava de parar bem em frente ao prédio. Entrei nele para despistá-lo. Desci uma quadra depois. Não cruzou com ele pelo caminho?

– Não... – murmurou Dúnia, lembrando-se estranhamente do rapaz que vira parado perto da ponte.

– Entremos, então.

– Não. Seja lá o que tiver de me dizer, diga aqui.

CRIME E CASTIGO

– O que temos a tratar não é assunto que se trate na rua, e depois você deve escutar também Sófia Semiónovna. Além do mais, preciso lhe mostrar alguns documentos que estão em meu quarto. Mas se não quiser subir comigo, terminamos nosso encontro aqui.

Dúnia estava pensativa e olhava desconfiada para Svidrigáilov.

– Não há o que temer – comentou calmamente. – A cidade não é como o campo, pode-se ir aonde quiser sem que todos fiquem sabendo...

– Sófia Semiónovna sabe que iremos nos encontrar?

– Não, eu nem ao menos sei se ela está ou não em casa. Mas é muito provável que esteja, ela enterrou há pouco tempo uma parenta.

O rosto de Svidrigáilov contorceu-se em uma espécie de sorriso; a verdade é que não conseguia mais sorrir. Tinha dificuldade em falar, seu coração batia descompassado e a respiração estava pesada. Dúnia, porém, não notou nada daquilo. Os dois entraram no prédio e começaram a subir as escadas.

Ao chegar ao corredor de seu andar, Svidrigáilov aproximou-se da porta do quarto de Sônia.

– Vamos ver se está em casa – disse, batendo à porta. – Parece que não, mas logo há de chegar, tenho certeza.

Ao abrir a porta do apartamento, Svidrigáilov conduziu Dúnia por dois cômodos completamente vazios antes de chegar ao quarto onde, de fato, vivia. No primeiro desses cômodos, havia apenas uma cadeira, muito próxima à parede – era ali que Svidrigáilov sentava-se para ouvir as conversas de Raskólnikov e Sônia. O quarto em si era bastante simples: uma cômoda, sobre a qual havia alguns objetos pessoais de Svidrigáilov, uma cama com uma mesa de cabeceira ao lado, onde jazia uma bacia com água e um espelho pendurado defronte, uma mesa com duas cadeiras e um sofá pequeno. Dúnia olhou ao redor, mas não encontrou nada demais ou de suspeito na disposição dos móveis.

– Sente-se – disse ele, indicando uma cadeira junto de uma mesinha.

A moça sentou-se. Svidrigáilov sentou-se de frente para ela. Em seus olhos, havia um brilho estranho, que incomodava profundamente Dúnia e já a fazia se arrepender de ter ido até ali.

207

– Eis aqui sua carta – respondeu a moça, colocando um pequeno envelope sobre a mesa. – Como pôde me escrever uma coisa dessas? Como pôde acusar meu irmão de um crime?

– A senhora reparou em uma cadeira no outro quarto?

– Sim... – respondeu Dúnia, sem entender o motivo daquela pergunta.

– Pois bem, sentando-me nela, consigo ouvir tudo que se passa no quarto vizinho. É o quarto de Sófia Semiónovna. Ela e seu irmão conversam muito, a senhora sabia?

Dúnia ficou em silêncio e olhou, curiosa e desconfiada, para Svidrigáilov. O que ele estava querendo insinuar?

– Pois então, há uns dois dias, seu irmão esteve com Sófia Semiónovna e confessou tudo que lhe contei na carta. Ele é um assassino, confessou tudo a ela. Matou uma velha usurária e a irmã, que fazia todo tipo de serviço pela cidade. Matou as duas com um machado. Foi lá para roubar algumas coisas, levou dinheiro e não sei mais o quê... Isso foi ele quem disse, contou tudo a Sófia Semiónovna. Mas não se preocupe, ela não vai denunciá-lo.

– Não pode ser! – exclamou Dúnia – Por que ele faria isso? É mentira.

– Precisava de dinheiro, eis aí o motivo – respondeu Svidrigáilov tranquilamente. – É verdade que ele não usou o dinheiro nem vendeu as joias, ainda. Escondeu tudo embaixo de uma pedra e não teve mais coragem de ir buscar.

– Como posso acreditar no senhor? Por acaso viu isso acontecer? Falou com meu irmão pessoalmente? – perguntava Dúnia, já esquecida de todo o medo que sentia de Svidrigáilov.

– Há muitas razões para se cometer um crime, Avdótia Románovna. Seu irmão teve as dele, mas são razões que não tenho como nem por que explicar agora. Ele acredita que no mundo há dois tipos de pessoas, as comuns e as extraordinárias, que...

– Conheço essa teoria. Eu li o artigo dele, Dmitri Prokófievitch me mostrou.

CRIME E CASTIGO

– O senhor Razumíkhin mostrou um artigo? Ora, ele chegou a escrever a respeito. Disso eu não sabia... – comentou Svidrigáilov e acrescentou, ao ver que Dúnia levantava-se e ia até a porta. – Aonde você vai, Avdótia Románovna?

– Quero falar com Sófia Semiónovna. Ela já deve ter chegado. Quero falar com ela e saber o que meu irmão lhe disse.

– Creio que Sófia Semiónovna só voltará muito tarde.

– É mentira! É tudo mentira, estou vendo! Não acredito em você.

Dúnia sentiu a cabeça rodar e uma fraqueza repentina. As pernas fraquejaram e ela só teve tempo de se sentar na cadeira junto à mesa, quase desmaiada. Svidrigáilov serviu-se de um copo d'água, molhou as pontas dos dedos e borrifou em Dúnia.

– Acalme-se, Avdótia Románovna – disse ele. – Nós vamos ajudar seu irmão, vamos salvá-lo. Ele matou, sim, mas pretendia fazer muitas coisas boas com o dinheiro. A senhora não precisa...

Mas Dúnia tornara a se levantar. Ainda um pouco tonta, ela estava decidida a ir embora dali. Falaria diretamente com Ródia e tudo se explicaria, tinha certeza. Tentou abrir a porta para sair, mas estava trancada.

– Quando foi que o senhor trancou essa porta?

– Não se preocupe, nós podemos salvá-lo – disse Svidrigáilov, ignorando a pergunta de Dúnia e como que adivinhando sua intenção de ver o irmão.

– O senhor pode ajudá-lo? Como? – quis saber Dúnia, voltando a se sentar.

– Depende só da senhora, Avdótia Románovna.

Dúnia arregalou os olhos, assustada. Foi para o mais longe que pôde de Svidrigáilov.

– Uma palavra... Uma palavra da senhora e ele está salvo. Eu tenho amigos e dinheiro, posso resolver tudo facilmente. Posso arranjar um passaporte para ele. Posso arranjar três! Um para ele, um para mim e um para a senhora. O que acha? Podemos levar sua mãe também, ir

FIÓDOR DOSTOIÉVSKI

embora para a América. Para que a senhora precisa de um Razumíkhin? A senhora tem a mim, eu a amo tanto! Deixe-me beijar a barra do seu vestido! Deixe-me jogar a seus pés!

Svidrigáilov parecia estar saindo de si, como se delirasse. Dúnia estava muito assustada, precipitou-se para a porta, pedindo socorro e tentando abri-la. Sabia que não tinha escapatória: dois quartos vazios a separavam do corredor, ela estava presa e indefesa.

– Abram a porta! Abram! – gritava em vão.

– Não adianta gritar – disse Svidrigáilov, como que voltando a si e sorrindo maldosamente.

– Onde está a chave?

– A chave eu perdi.

– Isso é crime! – gritou Dúnia, cada vez mais pálida. Sem ter para onde fugir, ela se refugiou em um canto, olhando com redobrada atenção e ódio cada movimento de seu agressor.

– A senhora diz que é "crime"... Entenda como quiser, Avdótia Románovna. Tomei todas as providências: ninguém sabe que a senhora está aqui, Sófia Semiónovna não está em casa, e o quarto da senhoria é muito distante deste. Afora isso, sou duas vezes mais forte que a senhora e não tenho nada a temer. E se qualquer coisa acontecer, quem poderá dizer que não foi culpa da senhora mesma? Uma moça que vem ao quarto de um homem, sozinha, sem avisar ninguém é algo difícil de se explicar, não é, Avdótia Románovna?

– Canalha! – sussurrou Dúnia.

– Como queira... – disse Svidrigáilov, indiferente, sentando-se no sofá e olhando para ela.

A moça já não tinha nenhuma dúvida em relação às intenções nefastas de Svidrigáilov, afinal ela o conhecia muito bem. Então, de repente, sacou do bolso do vestido um pequeno revólver e apontou para ele. Svidrigáilov ergueu-se de um salto.

– Ora! Que reviravolta! – gritou, surpreso e sorrindo maldosamente – Por essa eu realmente não esperava. E é o meu revólver, hein? Muito esperta.

CRIME E CASTIGO

– Não é seu, era de Marfa Petróvna! – respondeu Dúnia com raiva.
– O senhor não tinha nada naquela casa! Eu peguei este revólver assim
que me dei conta do que o senhor era capaz. Se der mais um passo,
eu atiro.

Dúnia estava tensa e preparada para atirar. Lá fora, o céu escurecia
com pesadas nuvens de chuva.

– E seu irmão? O que vai ser? Só por curiosidade – perguntou
Svidrigáilov, ainda parado no mesmo lugar.

– Não se mexa! Eu atiro, estou avisando! O senhor que é assassino!
Matou a própria esposa!

– Por que a senhora tem tanta certeza disso?

– O senhor mesmo me contou! Disse que ia envenenar Marfa
Petróvna para que nós pudéssemos fugir!

– Se isso fosse verdade, teria sido por sua causa, pela senhora e ninguém mais.

Mais pálida do que nunca, com a mão tremendo, Dúnia mirou em
Svidrigáilov e atirou. Fraca e desesperada, ela recuou um pouco depois
de atirar e deixou cair o revólver. A bala passara de raspão pela cabeça
de Svidrigáilov.

– Muito bem... Mirou direto na cabeça e... Veja, temos até sangue!
– comentou, tirando um lenço do bolso e passando pela têmpora ferida.

Passou-se um minuto de silêncio. Dúnia tremia, encostada à parede.
A chuva começava a cair, cada vez mais forte. Svidrigáilov então começou a se aproximar, ela não teve tempo de pegar o revólver do chão. Ele
a agarrou pela cintura.

– Deixe-me em paz! – suplicava a moça.

– Então não me ama? – perguntou ele, baixinho.

Dúnia pôde apenas balançar a cabeça negativamente.

– E não poderá amar? Nunca?

– Nunca!

Svidrigáilov não a largou de imediato. Travava uma batalha interna.
Dúnia respirava com dificuldade, encolhendo-se como podia para se

proteger. Então, Svidrigáilov a soltou, pegou uma chave no bolso e colocou sobre a mesa.

– Aqui está a chave. Vá embora.

Ele se afastou e ficou olhando pela janela. Dúnia agarrou a chave e foi rapidamente em direção à porta. Tremendo, olhou mais uma vez para Svidrigáilov.

– Vá embora! Vá! – gritou ele.

Dúnia entendeu muito bem aquele tom de voz e precipitou-se em direção à porta, saindo o mais rápido que pôde do quarto. Dali a um minuto, já corria pela rua, como uma louca, debaixo de chuva, de volta para casa.

CAPÍTULO 34

Svidrigáilov ficou parado junto à janela ainda alguns minutos, vendo a chuva cair. Afinal, virou-se, olhou em volta e esfregou as têmporas lentamente. Um sorriso estranho perpassou seu rosto. Um sorriso débil, triste e pesaroso. O sangue da ferida já havia estancado. Ele se lavou e trocou de roupa. De repente, seu olhar recaiu sobre o revólver que Dúnia deixara cair. Era um revólver de bolso, antigo e pequenino. Havia ainda duas balas nele. Svidrigáilov pensou por um momento, meteu o revólver no bolso, colocou o chapéu e saiu. Foi direto ao quarto de Sônia.

Sônia já havia chegado, mas não estava sozinha. Seus irmãos e os filhos dos Kapernaúmov, seus senhorios, estavam à sua volta e ela lhes servia chá. Quando abriu a porta e deparou-se com Svidrigáilov, ficou surpresa e não pôde dizer nada. As crianças se assustaram, os filhos da senhoria voltaram correndo para casa, enquanto Pólia e os irmãos encolheram-se no sofá, tentando se esconder.

Sônia deixou que Svidrigáilov entrasse e ele se sentou à mesa. Embora receosa, Sônia sentou-se a seu lado. Estava disposta a ouvir o que ele tinha a dizer.

– Eu, Sófia Semiónovna, penso em ir para a América e como esta é a última vez que nos vemos, gostaria de me despedir e resolver algumas questões.

Ele fez uma pausa e respirou fundo, como se pensasse na melhor forma de dizer tudo o que tinha a dizer. Temerosa, Sônia observava o visitante com atenção. Vez por outra, lançava um olhar cuidadoso aos irmãos, que continuavam bem encolhidos no sofá.

– Em primeiro lugar – começou –, aviso que deixei um dinheiro para suas irmãzinhas e seu irmãozinho. Tudo foi depositado em boas mãos, da maneira mais segura possível. Aqui estão os recibos, faça o favor de

FIÓDOR DOSTOIÉVSKI

aceitar. Há ainda este dinheiro em espécie, cinco mil rublos, que peço que aceite. São para a senhora, para que cuide de sua vida.

– Eu sou muito grata ao senhor, Arkádi Ivánovitch, por tudo que está fazendo por mim e meus irmãos – apressou-se em dizer Sônia. – Não sei como agradecer...

– Não é necessário.

– Mas todo esse dinheiro, se o senhor vai à América, não vai lhe fazer falta? Eu mesma não preciso dele, posso seguir vivendo como tenho vivido até agora...

– O dinheiro é seu, Sófia Semiónovna, e não há o que discutir. Sei que vai precisar dele.

Svidrigáilov fez uma pausa e olhou, sério, para o rosto assustado e pálido de Sônia. Podia quase sentir pena da moça.

– Nosso amigo Rodion Románovitch tem duas opções – continuou ele. – Ou mete uma bala na testa ou vai para Sibéria. – Ao ouvir isso, Sônia arregalou os olhos, assustada, mas Svidrigáilov procurou logo tranquilizá-la. – Não se preocupe, eu fiquei sabendo por ele mesmo, e não sou de dar com a língua nos dentes. Se for para a Sibéria, como a senhora fará para ir com ele? É uma viagem longa. Eis aí porque precisa desse dinheiro e deve aceitá-lo. Além disso, sei que prometeu pagar os aluguéis atrasados à tal senhora Lippevechzel, e sei que não tem grandes reservas. Mas, se algum dia alguém perguntar de mim, se alguém quiser saber se me viu antes de eu partir, não diga nada a respeito de nosso encontro, muito menos do dinheiro que lhe dei.

Fez novamente uma pausa e tamborilou os dedos sobre a mesa. A expressão de Sônia indicava a mais completa confusão. Como se portar diante de um homem como aquele e sua estranha generosidade?

– Agora, adeus – disse Svidrigáilov, e acrescentou, enquanto se levantava: – Sugiro que esconda esse dinheiro adequadamente. O senhor Razumíkhin certamente poderá guardá-lo para a senhora. Conhece Razumíkhin, não? Pois então... Adeus.

Sônia também se levantou e olhou para Svidrigáilov, desconfiada. Queria muito dizer alguma coisa, mas não sabia o quê.

CRIME E CASTIGO

– Mas o senhor vai sair agora? Debaixo dessa chuva?

– Ah, estou indo para a América, Sófia Semiónovna, como poderia ter medo de uma chuvinha dessas? – disse, com um sorriso fraco. – Pois é... Então, novamente, adeus, viva bem e seja feliz. Sei que a senhora há de ajudar muitas pessoas nesta vida. E diga ao senhor Razumíkhin que eu lhe faço uma reverência.

Ele então saiu, deixando Sônia completamente assombrada e desconfiada. Ela ficou parada à porta um bom tempo, tentando entender o que se passara há pouco. Apesar de tudo, tinha uma sensação estranha no peito, como se algo de ruim fosse ainda acontecer ao senhor Svidrigáilov.

CAPÍTULO 35

Na tarde do dia seguinte, Raskólnikov, depois de vagar pela cidade e pensar muito, decidira visitar a mãe uma última vez. Passara a noite toda vagando sem destino, apanhara muita chuva, até tomar essa decisão. Afinal, chegou ao apartamento e bateu à porta. Foi a própria Pulkhéria Aleksándrovna quem abriu.

– É você! – exclamou plena de alegria. – Não se zangue comigo, Ródia! É que estou tão feliz em ver você! Venha, sente aqui, sente. Ah, Ródia! Como estou contente!

Ela o fez sentar à mesa e sentou-se ao lado dele. Segurou suas mãos e alisou seus cabelos. Realmente não podia conter sua alegria em ver o filho. Seus olhos estavam marejados.

– Como está sujo, Ródia!

– Peguei muita chuva...

Pulkhéria Aleksándrovna olhava para ele com ternura e preocupação. A mãe apertava as mãos do filho com carinho imenso, sem dizer nada.

– Dmitri Prokófitch nos mostrou o seu artigo – disse ela, passado algum tempo, e levantou-se para pegar um jornal. Voltou logo e sentou-se novamente ao lado do filho. – Eu e Dúnia lemos. Não entendi muito bem, você sabe que sou uma tola, mas fiquei tão orgulhosa. Sabe, Ródia, você será o primeiro da família a ter estudado, vai ser importante, um escritor ou cientista, não sei como se chama. Eu...

– Dúnia não está em casa? – interrompeu Raskólnikov.

– Não, ela tem saído com frequência. Dmitri Prokófitch, Deus o abençoe, tem vindo me ver sempre. Mas não fique zangado com Dúnia, você sabe que é o jeito dela... Sempre foi independente, tem os assuntos dela para resolver... Ontem mesmo saiu à noitinha, voltou debaixo daquela chuva... Passou a noite toda em vigília, acho até que delirou um pouco... Falava muito de você, meu filho...

Pulkhéria Aleksándrovna começou a chorar.

– Ah, lá vou eu outra vez! Desculpe, meu filho, desculpe! – disse ela, secando as lágrimas e levantando-se outra vez. – Temos café e eu não ofereço! Que velha tola que sou.

– Não precisa, mãezinha, já estou indo. Não foi para isso que vim.

Ela voltou a se sentar, bem ao lado de Raskólnikov. Olhava para o filho com muito amor, mas também preocupação.

– Mãezinha, não importa o que aconteça, não importa o que digam, a senhora vai sempre me amar, não é?

– Ródia, o que há com você? Como é que pode perguntar uma coisa dessas?!

– Eu vim só dizer que amo muito a senhora – continuou. – Vim para que a senhora saiba que eu a amo, sempre amei e sempre amarei, não importa o que aconteça. É isso... Preciso ir...

Pulkhéria Aleksándrovna abraçou o filho em silêncio. Ela o abraçava forte contra o peito e chorava.

– Mas o que há com você, meu filho, meu Ródia?

– Preciso ir embora.

– Será que não posso ir com você? Não vai precisar de ajuda? E Dúnia? Dúnia também ama tanto você... E Sófia Semiónovna, sei que é uma moça... direita... E que gosta de você... Podemos ir juntos, todos juntos. Dmitri Prokófitch poderia nos ajudar e ir conosco... O que você acha?

– Adeus, mãezinha.

– Mas está indo hoje? Agora? – perguntou Pulkhéria Aleksándrovna, desesperada em perder o filho para sempre.

– Tenho de ir, não há mais tempo...

– E não posso ir com você?

– Não, a senhora fique aqui e reze por mim. Suas preces certamente irão me ajudar.

– Vou rezar! Rezo todos os dias, meu Ródia.

Ele estava feliz de ter encontrado a mãe sozinha. Pôde abraçá-la e beijá-la, pedir perdão, chorar. Pulkhéria Aleksándrovna não perguntou mais nada, não ficou surpresa com nada. Há muito tempo ela sabia que algo terrível acontecia com seu filho e agora tinha ao menos a chance de consolá-lo e dar-lhe um pouco de seu carinho.

Afinal, Raskólnikov se desfez dos braços da mãe, despediu-se e foi até a porta. Pulkhéria Aleksándrovna ainda chorava, olhando o filho pela última vez.

– Vai para muito longe, meu filho? – ousou perguntar ela.

– Para muito longe... – respondeu Raskólnikov, vagamente.

Ele abriu a porta. A mãe correu e o abraçou, chorando, pedindo para que não fosse embora, que a levasse consigo. Raskólnikov a afastou gentilmente e a beijou.

– Adeus, mãezinha.

E foi embora.

A tarde estava fresca e clara. O tempo melhorara muito desde a madrugada chuvosa. Raskólnikov seguia o caminho até seu apartamento, apressado. Queria acabar com tudo aquilo antes do pôr do sol. Ao chegar, viu que a porta estava entreaberta. Seria Nastássia com o chá? Ou então – e seu sangue ferveu de ódio – seria outra vez Porfiri Petróvitch? Entrou no quarto e deparou-se com Dúnia. Ela se levantou do sofá e os dois se olharam por um instante.

– Passei o dia todo com Sófia Semiónovna. Esperávamos por você.

Raskólnikov nada disse, apenas sentou-se em uma cadeira.

– Estou fraco, Dúnia... – murmurou.

– Onde passou a noite?

– Não sei bem... Queria tomar uma decisão e passei a noite andando por aí, às margens do Nievá. Queria me jogar no rio, mas não... Não consegui...

– Graças a Deus! Era o que eu e Sófia Semiónovna temíamos! Graças a Deus, graças...

Raskólnikov riu amargamente.

– Eu não acredito em nada, mas estive agora com nossa mãe e chorei muito, nos abraçamos. Não creio, mas pedi a ela que rezasse por mim.

– Esteve com mamãe? E o que lhe disse?

– Não disse nada... Mas ela entendeu. Ouviu você falando sozinha ontem à noite. Sou um homem mau, Dúnia.

– É mau, mas está disposto a enfrentar as consequências! Não está?

– Estou. Vou hoje mesmo. Fugir agora seria uma vergonha.

Passaram-se alguns minutos de silêncio. Raskólnikov estava perdido em pensamentos e olhava para o chão. Dúnia permanecia de pé, com as mãos sobre a mesa, olhando, preocupada, para ele. De repente, o irmão se levantou:

– É tarde, vamos. Vou me entregar.

Lágrimas escorreram pelo rosto de Dúnia.

– Está chorando, minha irmã. Será que não me estenderia a mão uma última vez?

– E você ainda duvida disso, Ródia?

Ela o abraçou com força.

– Chega, não chore mais. Ainda vamos nos ver, de uma forma ou de outra...

Ele aproximou-se de uma pilha de livros. Pegou um volume grosso, empoeirado, abriu uma página marcada e pegou uma pequena fotografia aquarelada. Era o retrato da filha de Praskóvia Zarnítsyna, sua senhoria, aquela com quem pretendia se casar, mas morrera há muito tempo. Ele olhou para o retrato longamente, depois o beijou e entregou para Dúnia.

– Eu conversava muito com ela – disse. – A respeito de tudo. Ela não concordava com muita coisa que eu dizia, e posso dizer que estou feliz que ela já não esteja entre nós. O que importa é que agora tudo vai mudar.

Os dois afinal saíram do quarto. Foi muito difícil para Dúnia deixar Raskólnikov ir, ela o amava muito. O rapaz seguia na frente, ela o observava a uns quinze passos de distância. Ele começou a andar mais depressa, foi se afastando. Ia virar uma esquina. Parou, olhou para atrás e viu a irmã pela última vez. Virou a esquina em direção à casa de Sônia.

"Sou mau, sou uma pessoa ruim", pensava consigo mesmo, enquanto caminhava. "Por que é que elas me amam tanto? Se eu fosse sozinho e não tivesse ninguém! Será que esses doze, talvez quinze anos cumprindo a pena vão me mudar? Será que vou me resignar, me arrepender, ficar convencido de que sou um bandido? É isso que todos querem, que eu me resigne, que aceite as coisas e siga a vida como qualquer um. E para que vou querer viver assim?"

Todas aquelas questões o atormentavam havia dias. Sem encontrar respostas, seguia seu caminho.

CAPÍTULO 36

Sônia esperava ansiosamente por Raskólnikov desde cedo. Primeiro, tivera a companhia de Dúnia, depois ficara sozinha. Não é necessário descrever os detalhes da conversa que as duas tiveram. O que importa dizer é que Dúnia entendeu que seu irmão teria sempre alguém com quem contar, não importasse o que acontecesse. Convencida disso, ela saíra do apartamento rumo à casa de Raskólnikov, na esperança de encontrá-lo.

Quando Raskólnikov chegou, o sol já estava se pondo. As crianças estavam todas no quarto dos Kapernaúmov. Sônia soltou um grito de alívio e correu para abraçá-lo: já havia se convencido de que o pior acontecera.

– Vim buscar sua cruz, Sônia – disse com um sorriso amargurado.

Surpresa com aquele tom frio e amargo, a moça olhou para ele. Um arrepio frio percorreu seu corpo, mas ela logo entendeu que aquele tom era apenas fingimento. Ele queria parecer distante e indiferente, mas não conseguia olhar para ela, mantinha os olhos em um canto.

– Estou indo, mas não vou falar com Porfiri Petróvitch. Já me cansei dele. Falarei com o oficial Porókh, Iliá Petróvitch. Terá um grande efeito, não acha? Ele não sabe absolutamente de nada. Enfim, onde está a cruz?

Era como se Raskólnikov não fosse ele mesmo, como se estivesse representando algum papel diante de Sônia. Não podia parar em um lugar, ficava andando pelo quarto, com tremores passando por seu corpo. Sônia ficou calada, observando. Por fim, buscou duas pequeninas cruzes, uma de metal e outra de madeira. Benzeu-se uma vez, depois benzeu Raskólnikov e colocou delicadamente a cruz de madeira em seu pescoço.

– Cada um tem a cruz que merece! – disse, rindo de maneira forçada – Bem, já chega, Sônia, adeus.

Raskólnikov preparou-se para ir embora, mas percebeu que Sônia pretendia acompanhá-lo. Ela pegara um lenço, colocara sobre os ombros e preparava-se para sair também.

– Aonde pensa que vai? – perguntou, com raiva. Sônia olhou para ele com ar interrogativo. – Fique, eu irei sozinho.

Deu as costas e foi embora sem se despedir. Sônia ficou parada no meio do quarto, sem entender nada.

– Adeus... – murmurou consigo mesma.

"Por que é que vim até aqui?", pensava, descendo as escadas. "Por que é que fui envolvê-la nessa história?"

Ele seguiu seu caminho até a delegacia. Dessa vez, olhava para todos os lados, observava cada uma das pessoas com quem cruzava e pensava que eram todas tolas, simplórias ou tão más quanto ele próprio. Enquanto atravessava uma ponte, meteu as mãos nos bolsos rotos do casaco e encontrou uma moedinha de cinco copeques. Chegando à Praça Sennaia, viu uma velha pedinte. Aproximou-se e deu-lhe a moeda.

– Deus o abençoe! – disse a velha com voz chorosa.

Raskólnikov chegou quase ofegante à delegacia. Precisava ainda subir três andares. Parecia-lhe que agora estava tudo muito perto e ele não sabia exatamente o que dizer nem como agir. Mais uma vez se viu subindo aquela escada estreita, atravessando o corredor e cruzando portas de madeira. Não queria ver Porfiri Petróvitch, mas, agora, sentia medo do explosivo oficial Porókh. Havia ainda Zamiótov, mas este fazia questão de não ver. Quem sabe não poderia falar com Nikodim Fomítch?

Entrou no escritório e deparou-se com um escriturário que não conhecia. Nada de Zamiótov, nem de Nikodim Fomítch.

– Não tem ninguém aqui?

– Com quem deseja falar? – perguntou o escriturário.

Entretanto, antes que Raskólnikov pudesse responder, o trovejante Iliá Petróvitch adentrou o recinto. Parecia estar de excelente humor. "É o destino", pensou Raskólnikov, um tanto assustado, mas conformado.

CRIME E CASTIGO

– Pois não? – inquiriu Porókh, olhando para Raskólnikov de cima a baixo – Se veio dar queixa, já é muito tarde, senhor...?

– Raskólnikov.

– Ah! Raskólnikov! O que não paga o aluguel! Rodion... Ro... Ro... Rodiónytch, não é mesmo?

– Rodion Románytch – confirmou Raskólnikov.

– Sim, isso mesmo, Rodion Románytch Raskólnikov. Eu bem me lembro de nosso encontro. Depois fiquei sabendo que o senhor é um estudante, escreve artigos e coisa e tal... Soube que sua família chegou à cidade. É por conta disso que veio até aqui? Está de mudança?

– Eu vim... Eu achei.. Achei que Zamiótov estaria aqui.

– Ah, sim, ouvi dizer também que o senhor e Zamiótov são conhecidos. Mas perdeu a viagem, meu amigo, ele pediu transferência, já não trabalha mais conosco. E devo dizer que foi bastante rude com todos nós antes de partir. Vai entender! Achava que era um bom rapaz... Mas quem entende as pessoas, não é mesmo?

As palavras de Iliá Petróvitch chegavam até Raskólnikov, mas ele não as entendia. Teve a impressão de que devia perguntar alguma coisa, mas só conseguiu olhar interrogativamente para o oficial, que sorria bem diante dele. Iliá Petróvitch pareceu ligeiramente confuso com aquele olhar, então repetiu.

– Pois é, tem coisas que não dá para entender. Hoje mesmo ficamos sabendo de um caso que... Escriturário, como era mesmo o nome daquele *gentleman*? Aquele que se matou com um tiro nos cornos esta madrugada?

– Svidrigáilov – respondeu, distraído, o escriturário.

Raskólnikov sentiu o ar faltar.

– Svidrigáilov? Svidrigáilov se matou? – gritou.

– Sim, foi o que nos relataram – respondeu Iliá Petróvitch, imensamente surpreso com a reação de Raskólnikov. – O senhor o conhecia?

– Conheço... – respondeu mecanicamente.

– Ora, mas que coincidência... Neste caso, meus sentimentos. Posso ajudá-lo de alguma maneira?

– Eu... Queria mesmo era falar com Zamiótov... – disse Raskólnikov, forçando um sorriso.

– Infelizmente, como eu já lhe disse, ele não trabalha mais aqui. E, de toda forma, já é tarde. O senhor pode voltar amanhã, se preciso for.

– Sim... Eu... Desculpe o incômodo...

– Não foi nada, meu amigo, volte se precisar de alguma coisa.

Raskólnikov saiu da sala. Sua cabeça rodava mais que nunca. Sentia que não podia se aguentar em pé. Começou a descer as escadas, apoiando-se na parede. Chegou ao térreo, atravessou o pátio e ao chegar à saída do prédio, viu Sônia do outro lado da rua. Lá estava ela, pálida, cansada, com um lenço na cabeça, esperando por ele. Havia uma expressão de dor e desespero em seu rosto. Raskólnikov estancou, olhou para ela por um instante e então voltou ao terceiro andar.

– Ah! O senhor outra vez! O que deseja? – saudou-o Iliá Petróvitch.

Raskólnikov, com o rosto pálido, os lábios descorados e o olhar vidrado, aproximou-se da mesa do oficial. Apoiou as duas mãos sobre a mesa, abriu a boca para dizer alguma coisa, mas não conseguiu. Conseguiu fazer apenas sons ininteligíveis.

– O senhor está muito mal! – exclamou Iliá Petróvitch. – Sente-se, meu amigo! Vamos! Tragam água.

Raskólnikov deslizou para a cadeira, sem tirar os olhos vidrados do rosto do oficial Porokh, que não podia disfarçar o quão desagradável lhe parecia aquela situação. Os dois ficaram se olhando, em silêncio, até que trouxeram água.

– Eu... – começou Raskólnikov.

– Beba água.

Raskólnikov afastou de si o copo d'água e então disse em voz baixa, calma e pausadamente:

– *Fui eu quem roubou e matou a velha usurária e a irmã dela com um machado.*

Iliá Petróvitch ficou boquiaberto. Vieram correndo pessoas de todos os lados.

Raskólnikov contou toda sua história.

EPÍLOGO

Sibéria. Uma cidade às margens de um longo rio. Na cidade, há uma fortaleza com uma prisão. Na prisão, está Rodion Románovitch Raskólnikov. Já faz nove meses que ele está ali preso. Desde o dia que cometera o crime havia se passado quase um ano e meio.

O processo havia corrido sem grandes problemas. O criminoso reconheceu sua culpa de maneira firme e direta, sem se confundir nem alterar o mínimo detalhe. Contou todo o processo do assassinato, dando detalhes de como matara a velha e como pegara as chaves e por que havia matado também Lizaveta Ivánovna. Contara como havia fugido, escondendo-se no apartamento do segundo andar, depois que Mikolka e Mitka saíram de lá, correndo. Graças a seu depoimento, ficou explicado o que era o misterioso objeto encontrado próximo à falecida Aliona Ivánovna: era o falso penhor (o embrulho que servira para enganar a velha para deixá-lo entrar). Por fim, ele indicara também a pedra sob a qual havia escondido o porta-níqueis e os objetos roubados.

O juiz e o júri ficaram bastante impressionados com o fato de Raskólnikov ter escondido os objetos embaixo de uma pedra sem fazer uso deles. Mas o mais impressionante de tudo era o fato de ele não ter sequer aberto o porta-níqueis nem saber quanto dinheiro havia ali (e havia trezentos e setenta rublos, agora bastante amassados por terem ficado embaixo de uma pedra).

Afora isso, o doutor Zóssimov dera seu parecer a respeito do réu, indicando seu estado hipocondríaco – já observado por seu camarada Razumíkhin, sua senhoria e também a empregada. Tudo isso contribuiu fortemente para que se chegasse à conclusão de que Raskólnikov não era um assassino e um ladrão qualquer, mas alguma outra coisa diferente disso. Corroborando esse ponto de vista, o próprio criminoso não fizera nem a menor menção de se defender. Ao ser perguntado por

CRIME E CASTIGO

que cometera aquele crime, ele respondera que o fizera por conta de sua miséria e que vira naquele ato a chance de firmar-se na vida, com a ajuda de pelo menos três mil rublos que pretendia encontrar na casa da vítima. Decidira-se pelo assassinato em consequência de seu caráter leviano e pusilânime, cansado e irritado, acima de tudo, de passar necessidade. Sobre por que havia resolvido confessar seu crime, respondera que estava verdadeiramente arrependido. Essa última resposta ele dera de forma quase grosseira.

O veredicto acabou sendo mais misericordioso do que se esperava. O fato de o próprio criminoso ter se entregado e assumido a culpa, as estranhas circunstâncias do crime em si, bem como o estado doentio e desvalido do criminoso quando praticara o ato contribuíram na atenuação da sentença. Além disso, surgiram ainda circunstâncias que influenciaram a decisão final.

O estudante Razumíkhin prestou depoimento e afirmou que o criminoso Raskólnikov, quando ainda estava na universidade, mesmo com seus parcos recursos, ajudou um colega tísico a se manter durante praticamente um semestre inteiro. Quando esse colega faleceu, foi até o velho pai do estudante oferecer os seus préstimos, encaminhando-o, depois, a um hospital. Quando o velho morreu, Raskólnikov encarregou-se de fazer o funeral. A própria senhoria do ex-estudante e mãe de sua antiga noiva, a viúva Zarnítsyna, testemunhou que, quando eles ainda viviam em outro prédio, Raskólnikov havia arriscado a vida para salvar duas crianças de um incêndio, tendo, inclusive, se queimado ao fazer isso. Essas informações foram analisadas minuciosamente pelo juiz e pelo júri. Por fim, em poucas palavras, resultou que o criminoso foi condenado a oito anos de trabalhos forçados na Sibéria.

Logo no começo do processo, a mãe de Raskólnikov caiu doente. Dúnia e Razumíkhin acharam por bem levá-la embora de Petersburgo enquanto o julgamento se desenrolava. Razumíkhin escolheu uma cidade próxima à ferrovia e pouco distante da capital, para que pudesse inteirar-se regularmente das circunstâncias do processo e, ao mesmo tempo, encontrar-se o mais que pudesse com Avdótia Románovna. A

FIÓDOR DOSTOIÉVSKI

doença de Pulkhéria Aleksándrovna era um tanto estranha. De fundo nervoso, assemelhava-se, se não completamente, pelo menos em parte, à demência. Dúnia, retornando do último encontro com o irmão, já encontrara a mãe doente, delirante e febril. Naquela mesma noite, ela e Razumíkhin combinaram o que diriam caso a mãe perguntasse por Raskólnikov: responderiam que ele tinha ido para algum lugar fora da Rússia, resolver um encargo que lhe traria, enfim, reconhecimento e dinheiro. Mas ficaram os dois surpresos ao ver que Pulkhéria Aleksándrovna não perguntou nada a respeito do filho, nem naquele dia nem nunca.

A própria mãe parecia ter criado toda uma história a respeito do filho: contava, com lágrimas nos olhos, como ele viera se despedir dela e dava a entender que somente ela sabia dos detalhes secretos da partida de seu Ródia, que tinha muitos inimigos poderosos de quem precisava se esconder. No que dizia respeito ao futuro da carreira de Raskólnikov, ela parecia não ter a menor dúvida: seria brilhante. Afirmava a Razumíkhin que seu filho viria a ser um homem do Estado, que reconheceriam suas ideias e seu talento. Mas havia pontos que a pobre mãe preferia ignorar, como a ausência de cartas ou notícias do filho. Dúnia começou a pensar que a mãe, provavelmente, pressentia que algo de ruim tinha acontecido ao filho e tinha medo de perguntar e descobrir algo ainda mais terrível do que imaginava. Estava claro que Pulkhéria Aleksándrova não estava em seu juízo perfeito.

Passaram-se cinco meses depois da condenação de Raskólnikov. Razumíkhin encontrou-se com ele na prisão tão logo foi possível. Sônia também. Afinal, chegou o momento da separação. Dúnia afirmava ao irmão que aquilo não era para sempre. Na jovem cabeça de Razumíkhin, plantara-se firmemente o projeto de guardar algum dinheiro e, dali a três ou quatro anos, mudar-se para a Sibéria, para a mesma cidade onde estaria Ródia, e lá começar uma nova vida. Na despedida, todos choraram. Nos últimos dias, Raskólnikov andava bastante pensativo, perguntando sempre da mãe. Ele se preocupava muito com ela, o que deixou Dúnia tocada. Ao saber dos detalhes da doença, ficou especialmente sombrio.

CRIME E CASTIGO

Com Sônia, por algum motivo, mantinha-se sempre calado. Com ajuda do dinheiro deixado por Svidrigáilov, Sônia conseguira se preparar para partir rumo à Sibéria junto de Raskólnikov. Nenhum dos dois havia dito uma palavra a respeito disso, mas ambos sabiam que assim deveria ser. No último momento, sorriu estranhamente ao ouvir a certeza dos planos da irmã e de Razumíkhin a respeito de um futuro feliz, depois que saísse da prisão e a mãe se curasse.

Dois meses depois, Dúnia e Razumíkhin se casaram. A cerimônia foi triste e silenciosa. Entre os convidados estavam, é claro, Porfiri Petróvitch e Zóssimov. Nos últimos tempos, Razumíkhin tornara-se um homem determinado e Dúnia acreditava firmemente em sua determinação, ele tinha uma vontade de ferro. Ele voltou a frequentar as aulas para concluir o curso de Direito. Os dois tinham planos para o futuro e contavam que dali a alguns anos iriam se mudar para a Sibéria. Sônia também contava com isso.

Pulkhéria Aleksándrovna com grande alegria abençoou o casamento da filha, mas, pouco tempo depois da união, tornou-se ainda mais triste e preocupada. Pensando em dar-lhe alguma alegria, Razumíkhin contou a ela como Raskólnikov havia ajudado um colega estudante e seu pai e como havia salvado duas crianças de um incêndio, tempos atrás. Ambas as notícias, de fato, alegraram muito o ânimo de Pulkhéria Aleksándrovna. Ela falava a respeito daquilo a todo instante, até mesmo com gente na rua (embora sempre andasse acompanhada de Dúnia), e contava como o filho escrevera um artigo brilhante, como ajudara um colega tísico, como salvara duas criancinhas de um incêndio. Dúnia não sabia como detê-la. Mesmo assim, a doença continuava a avançar e, por fim, chegou aos piores momentos. Às vezes, Pulkhéria Aleksándrovna começava a chorar, tinha muita febre e delirava. Certa manhã, ela levantou-se aflita, certa de que Ródia retornaria naquele mesmo dia. Começou a arrumar o quarto, a preparar-se para a chegada do filho, limpar os móveis, lavar, passar e assim por diante. Dúnia se afligia, mas calava e até mesmo ajudava naquela arrumação. Depois da agitação daquele dia, ela teve febre a noite toda. Duas semanas depois, morreu. No

Fiódor Dostoiévski

delírio de suas últimas palavras, foi possível perceber que ela sabia bem mais a respeito do terrível destino do filho do que todos podiam supor.

Demorou para que Raskólnikov ficasse sabendo da morte da mãe. A correspondência chegava de São Petersburgo e passava por Sônia, que atenciosamente escrevia todos os meses para Razumíkhin e recebia todos os meses uma resposta. As cartas de Sônia eram repletas da mais singela descrição da vida no campo de trabalhos. Ela não falava de suas esperanças para o futuro ou seus sentimentos, apenas respondia ao que lhe perguntavam a respeito de Raskólnikov.

Sônia contava que ele estava sempre carrancudo e quase nunca demonstrava interesse nas notícias que ela lhe trazia. Algumas vezes, perguntava da mãe. Quando Sônia, por fim, percebendo que Raskólnikov já adivinhava a verdade, contou-lhe de sua morte. Para sua surpresa, não se abalou ou, pelo menos, não demonstrou ter se abalado. Apesar de estar sempre imerso em seus pensamentos, parecia ter uma visão muito clara do futuro e entender muito bem sua posição. A saúde ia bem: ia sempre para o trabalho no campo. Era quase indiferente à comida, que, na verdade, era tão horrível que até aceitara algum dinheiro de Sônia para poder comprar seu próprio chá. No mais, pedia sempre que não se preocupasse com ele. O alojamento era como todos os outros, ela não vira a parte interna, mas afirmava que era insalubre e apertada, que Raskólnikov dormia em um estrado, cobrindo-se com um feltro, e que não queria nada mais que aquilo. Vivia daquela forma não porque tivesse algum plano ou por revolta, mas simplesmente por indiferença a seu destino. De início, escrevia Sônia, ele quase a ignorava durante suas visitas, era sempre rude, mas, mesmo assim, sentiu falta dela e preocupou-se quando ela ficou doente e não pôde visitá-lo. A respeito de si, Sônia contava apenas que conseguira estabelecer algumas relações na cidade e ocupava-se de costurar para fora. Como na cidade não havia nenhuma modista, ela se tornara indispensável em algumas casas. Por fim, viera a notícia de que se esquivava de todos no campo, passava dias em completo silêncio e que ali ninguém parecia gostar dele.

CRIME E CASTIGO

De repente, em sua última carta, Sônia escreveu que Raskólnikov estava muito doente, no hospital.

Fazia tempo que ele estava doente, mas não por causa da vida horrível que levava na prisão, nem por causa do trabalho, da comida, da cabeça raspada, da roupa. O que lhe importavam aqueles sofrimentos todos? Sentia-se até feliz em trabalhar, pois depois de um dia de trabalho conseguia ter uma noite de sono tranquila. E o que dizer da comida? Uma sopa rala com batatas – quando era estudante, nem isso tinha. A roupa era suficiente para proteger do frio. Ele já nem sentia os grilhões. Por que teria vergonha da cabeça raspada? Por causa de Sônia? Sônia tinha medo dele.

Então o que era? Ele sentia *vergonha*. Até mesmo de Sônia, que sofria tanto com sua grosseria. Mas não era por causa da cabeça raspada ou dos grilhões que sentia vergonha: era orgulho ferido. Como seria feliz se pudesse condenar a si próprio! Ficaria enfim livre de tudo. Mas era demasiado severo consigo mesmo e em sua consciência não conseguia encontrar nenhuma culpa, além de um deslize simplório, que poderia ter acontecido a qualquer um. Envergonhava-se exatamente disso: logo ele, Raskólnikov, tinha se destruído de maneira assim tão tola, por algum acaso do destino, e deveria aceitar e submeter-se à sentença dada por outro alguém, se quisesse, talvez, encontrar paz para si mesmo.

O presente era uma inquietação constante, o futuro, um martírio que jamais teria fim. E daí que dali a oito anos teria apenas 32 e poderia começar uma vida nova! Viver para quê? Que perspectivas tinha? Viver só para existir? Estava mil vezes mais disposto a entregar sua existência por uma ideia, uma esperança, até mesmo uma fantasia. A existência somente era pouco, ele queria mais.

Ainda se o destino lhe trouxesse arrependimento! Um arrependimento excruciante, que estraçalhasse o coração, acabasse com todos os sonhos! Ah, ficaria até contente com isso! Lágrimas, sofrimento – isso também era vida. Mas não, ele não se arrependia. Poderia, pelo menos, sentir muita raiva de sua estupidez, como antes sentia das ações tolas e impensadas que o haviam levado até a prisão. Mas agora pensava e repensava em cada um dos seus atos e não achava que eram tolos ou impensados, como antes lhe pareciam.

"Em que medida", pensava, "meu pensamento foi mais tolo do que tantos outros pensamentos e teorias que existem por aí, desde que o mundo é mundo? Basta olhar a coisa de maneira imparcial para ver que minha ideia não era assim tão estranha. É claro, pela lei, um crime foi cometido, sangue foi derramado... Mas, neste caso, qualquer benfeitor da história da humanidade que tenha tomado o poder, que tenha derramado sangue, deveria também ser punido. Mas esses benfeitores foram firmes em seus atos e mantiveram-se firmes, e estavam certos de fazer isso, já eu não, eu não fiquei firme, por isso estou aqui". Eis o que pensava a respeito de seu crime: que não havia sido firme em sua posição e havia se rendido sem lutar.

Ele se atormentava também com esse pensamento: por que é que não tinha se matado? Por que preferia a rendição? Será que tinha tanta vontade assim de viver? Seria tão difícil assim superar essa vontade? Svidrigáilov, que tinha tanto medo da morte, tinha superado...

Atormentado, se fazia essas perguntas e não conseguia entender o que se passava, nem antes, nem agora. Talvez pressentisse dentro de si e em todas suas convicções uma grande mentira, porém não entendia que esse pressentimento poderia ser o prenúncio de uma mudança em sua vida, um novo olhar, uma ressurreição.

Ele olhava para os colegas de degredo e ficava surpreso: todos eles, todos amavam tanto a vida! Parecia que justamente ali, na prisão, nos campos de trabalho, amavam mais e mais a vida e davam valor a ela, muito mais do que quando estavam em liberdade. Quantos tormentos horríveis não passavam ali! E mesmo assim davam valor a um raio de sol, ao bosque e sonhavam em encontrar a amada, em um distante campo verdejante.

De início, na prisão, não notava muita coisa e nem queria notar. Vivia como se estivesse de olhos fechados: tinha asco e ódio de olhar ao redor. Mas, nos últimos tempos, um pouco contra sua própria vontade, começava a prestar atenção e ficava surpreso de não ter notado certas coisas antes. O que mais o surpreendia era o abismo que parecia separá-lo de todos os outros. Parecia que ele e os outros eram de mundos diferentes. Olhavam-se com desconfiança e até hostilidade. Ninguém parecia gostar dele e todos o evitavam. Por fim, acabaram até por odiá-lo, mas ele não sabia dizer exatamente por quê. Desprezavam-no e debochavam dele.

– Você era patrão – diziam. – Não devia ficar andando com um machado por aí, não é coisa de patrão.

Na segunda semana da Quaresma, chegou a vez de Raskólnikov e seus colegas jejuarem. Ele foi à igreja rezar junto dos outros. Permaneceu calado, não disse absolutamente nada, mas mesmo assim acabou causando uma briga.

– Ateu! Você não acredita em Deus! – gritavam. – Tinham que matar você.

Nunca havia falado de Deus ou de fé com ninguém, mas eles queriam matá-lo como se fosse ateu. Um prisioneiro, em frenesi, chegou mesmo a lançar-se sobre ele, decidido a liquidá-lo, mas Raskólnikov não reagiu, esperou a agressão, tranquilo e calado: nem ergueu as sobrancelhas, nenhum músculo de seu rosto tremeu. Um guarda da escolta conseguiu deter o prisioneiro a tempo.

Uma questão seguia ainda sem resposta para Raskólnikov: por que é que todos ali gostavam tanto de Sônia? Eles a viam raramente, às vezes na hora do trabalho, quando ela vinha dar uma olhada nele. Mesmo assim todos já a conheciam bem, sabiam que ela vinha visitá-lo, sabiam como e onde vivia. A jovem não lhes dava dinheiro nem presentes. Somente uma vez, no Natal, trouxera uns pasteizinhos e roscas. Mas, aos poucos, as relações foram se estreitando: Sônia escrevia cartas para eles e as colocava no correio. Os parentes, chegando à cidade, deixavam encomendas e até mesmo dinheiro com Sônia, como os próprios presos haviam recomendado. As esposas e as amantes a conheciam e iam até sua casa. Quando ela aparecia nos campos para visitar Raskólnikov, todos tiravam o chapéu e a cumprimentavam: "Mãezinha, nossa mãezinha Sófia Semiónovna, tão querida!", era o que diziam os rudes prisioneiros

FIÓDOR DOSTOIÉVSKI

àquela pequenina criatura. Ela sorria e se despedia, e todos apreciavam seu sorriso. Gostavam todos dela e a respeitavam muito.

Raskólnikov ficou no hospital o final da Quaresma e toda a Páscoa. Enquanto se recuperava, lembrava-se dos delírios que tivera quando ardia em febre: o mundo todo deveria sofrer com uma grande epidemia, vinda da Ásia, que acabaria com tudo e todos, menos alguns, os escolhidos. Seria um micro-organismo novo que deixaria o infectado completamente louco. E esses loucos nunca, na vida inteira, teriam se considerado tão sábios e próximos da verdade quanto estariam naquele momento, ardendo em febre. Todos entrariam em êxtase, acreditando que a verdade estaria dentro de si, e sofreriam ao ver os outros, bateriam no peito, chorariam e torceriam as mãos. Não saberiam como julgar uns aos outros, o que era o bem, o que era o mal. Acabariam matando uns aos outros. Dia e noite soariam alarmes pelas cidades, mas para quem? Por quê? Haveria incêndios, fome. Seria o fim de tudo. A chaga iria crescer e se espalhar. Somente alguns conseguiriam se salvar, os escolhidos, os destinados a dar origem a uma nova raça humana, renovar e purificar a Terra. Agora, a lembrança desse delírio atormentava Raskólnikov.

Era já a segunda semana depois da Semana Santa. Os dias ficavam mais frescos e claros, dias primaveris. Enquanto estivera doente, Sônia só pudera visitá-lo duas vezes, porque tinha de pedir autorização, e era difícil obtê-la. Mas ela frequentemente ficava junto dos portões do hospital, pouco antes do anoitecer, tentando vê-lo pela janela. Certa vez, em um momento desses, Raskólnikov, já restabelecido, acordou e aproximou-se da janela. Lá estava ela, como se esperasse alguma coisa. Naquele instante, ele sentiu algo atravessando seu coração, estremeceu e afastou-se da janela. Nos dias seguintes, Sônia não apareceu, Raskólnikov começou a se preocupar. Por fim, deram-lhe alta.

Chegando à prisão, soube que Sófia Semiónovna estava doente e não podia sair de casa. Ele ficou muito preocupado e procurou ter notícias dela. Logo soube que não era nada grave. Ela lhe enviou um bilhete dizendo que era apenas um ligeiro resfriado e que não havia com o que se preocupar. Em breve, ela estaria boa e iria visitá-lo. Ao ler aquilo, sentiu o coração apertado.

O dia estava claro e fresco. De manhã bem cedo, perto das seis horas, ele saiu para trabalhar à beira do rio. Eram apenas três trabalhadores naquela manhã. Raskólnikov se aproximou da margem, sentou-se em um toco de árvore e pôs-se a olhar para o rio. Ao longe, da outra margem, vinha uma canção. Lá havia liberdade. Lá viviam outras pessoas. Ele estava sentado com o olhar perdido e os pensamentos vagando. Não pensava em nada, mas, por algum motivo, uma angústia tomava conta de seu peito.

De repente, Sônia surgiu diante dele. Ela havia se aproximado silenciosamente e sentara-se ali ao lado. Era ainda muito cedo, ainda dava para sentir o friozinho da manhã. Ela usava um vestido simples e um lenço verde sobre os ombros. O rosto tinha algumas marcas da doença, mais magro, mais pálido. Ela o cumprimentou e sorriu e, como de costume, estendeu-lhe a mão.

Ela sempre lhe estendia a mão timidamente, às vezes nem estendia por completo, com medo de que ele a rejeitasse. O rapaz sempre pegava a mão dela, como se tivesse certo asco, como se aqueles encontros o deixassem enfadado, e permanecia calado. Ela ia embora, por fim, profundamente magoada. Porém, dessa vez suas mãos não se soltaram. Ela olhou para ele, furtivamente, depois baixou os olhos. Eles eram um só. Ninguém podia vê-los.

Raskólnikov não sabia explicar o que havia acontecido, mas algo o impeliu a jogar-se aos pés de Sônia. Ele começou a chorar, abraçando os joelhos dela. Em um primeiro momento, ela ficou aterrorizada e quis desvencilhar-se. Mas então, subitamente, entendeu tudo, e a felicidade brilhou em seus olhos. Ela havia entendido e já não tinha a menor dúvida de que ele a amava.

Queriam dizer alguma coisa, mas não conseguiam. Tinham lágrimas nos olhos, mas em seus rostos pálidos e magros sorria a aurora de um futuro pleno, da ressurreição para uma nova vida. O amor os tinha ressuscitado.

FIÓDOR DOSTOIÉVSKI

Só precisavam ter paciência e esperar. Restavam ainda sete anos; e até lá quanto sofrimento, mas também quanta felicidade! Raskólnikov havia ressuscitado e agora sabia disso, sentia-se vivo, e Sônia, ele e ela viveriam uma única vida!

Na noite daquele mesmo dia, Raskólnikov estava deitado e pensava nela. Naquele mesmo dia, parecia-lhe que todos os presos, seus antigos inimigos, olhavam-no de outra maneira. Chegou até a conversar com eles, e responderam amigavelmente. Assim tinha de ser, tudo deveria mudar.

Ele pensava nela. Pensava em como a havia atormentado e maltratado; lembrava-se de seu rostinho pálido e magro, mas agora quase já não o atormentavam essas lembranças: sabia que com amor poderia redimir todo aquele sofrimento.

E o que eram todos esses sofrimentos do passado? Tudo, até mesmo seu crime, até mesmo o julgamento e o degredo agora lhe pareciam algo distante, estranho, como se não tivessem acontecido com ele. Naquela noite, não conseguiu se concentrar em seus pensamentos ou pensar detidamente a respeito de alguma ideia em especial: não conseguia pensar, só conseguia sentir.

Sob o travesseiro havia um Evangelho. Ele o pegou maquinalmente. Era o mesmo livro no qual Sônia havia lido o episódio da ressurreição de Lázaro. Quando chegaram às galés, pensou que ela iria incomodá-lo falando de religião, querendo ler o Evangelho. Mas, para sua grande surpresa, ela não falou disso nem uma única vez. Ele mesmo acabou pedindo, pouco antes de adoecer, que ela lhe trouxesse o livro, e ela trouxe, mas não disse nada. Desde aquele dia, ele não o havia aberto. Mesmo agora não o abria, e um único pensamento perpassava sua mente: "Será que, agora, as convicções dela não podem ser as minhas convicções? Ou os sentimentos dela, as aspirações, ao menos...".

Sônia também passara todo aquele dia agitada, à noite chegou a adoecer novamente. Mas estava tão feliz, mas tão feliz que chegava a ficar assustada. Sete anos, sete anos apenas! No começo de sua felicidade,

CRIME E CASTIGO

os dois estavam prontos a olhar para aqueles sete anos como se fossem sete dias. Ele nem pensava que aquela nova vida que se aproximava exigiria dele enormes sacrifícios...

Mas isso já é outra história. A história da transformação e do renascimento de um homem, de sua passagem para um mundo novo, completamente novo e desconhecido. E essa nova história não nos cabe contar. Encerremos aqui o nosso relato.

SOBRE AS PERSONAGENS

Quando lemos uma história russa, podemos nos surpreender com a variedade de nomes e apelidos que as personagens têm. E essa variedade, algumas vezes, pode causar certa confusão. Pensando nisso, fizemos uma lista de personagens e uma pequena nota explicativa a respeito da onomástica russa.

Para começar, é importante saber que os nomes russos são sempre compostos por três partes: o prenome, o patronímico, que é formado a partir do nome do pai, e o sobrenome. Tanto o sobrenome quanto o patronímico possuem uma forma masculina e uma feminina. Por exemplo: o protagonista de *Crime e Castigo* é Rodion Románovitch Raskólnikov, ou seja, Rodion, filho de Roman, da família Raskólnikov; já sua irmã, é Avdótia Románovna Raskólnikova, e assim por diante, como quase todas as personagens deste romance.

Sobre o uso dos patronímicos, podemos dizer que, de maneira geral, quando as personagens se tratam pelo nome e patronímico, querem expressar maior respeito em relação uma à outra. Além da forma "oficial" dos patronímicos, existem também formas mais coloquiais, que aparecem muitas vezes em textos russos – especialmente nos de Dostoiévski. Assim, o protagonista Rodion Románovitch é chamado, algumas vezes, de Rodion Romántch ao longo da história.

Por fim, vale notar que os russos usam uma grande variedade de apelidos e diminutivos que nem sempre nos parecem óbvios. O herói deste romance, Rodion Románovitch, é chamado de Ródia pela família e amigos, enquanto sua irmã Avdótia é chamada de Dúnia ou Dúnietchka, este segundo um apelido que expressa muito carinho e é usado só por pessoas próximas. Há casos, também, em que o apelido parece ser um outro nome. É o que acontece com a personagem Sônia Marmeládova: seu nome de batismo é Sófia (pronúncia russa de Sofia). Embora em português Sônia e Sofia sejam nomes distintos, em russo, Sônia só existe como apelido de Sofia. Ou melhor, de Sófia.

De início, essa variedade pode parecer um pouco confusa, mas, à medida que lemos a história, vamos nos acostumando a todos esses nomes, patronímicos, sobrenomes e apelidos.

A seguir, apresentamos a lista de personagens de *Crime e castigo*, com suas respectivas ocupações.

Lista de Personagens

Família Raskólnikov
Rodion (Ródia) Románovitch Raskólnikov, ex-estudante de Direito, protagonista do romance.

Avdótia (Dúnia, Dúnietchka) Románovna Raskólnikova, irmã de Raskólnikov, ex-governanta da família Svidrigáilov.

Pulkhéria Aleksándrovna Raskólnikova, mãe de Raskólnikov e Dúnia.

Família Marmeládov
Semion Zakhárovitch Marmeládov, ex-funcionário público, bêbado.

Sófia (Sônia, Sônietchka) Semiónovna Marmeládova, prostituta, filha de Marmeládov.

Katerina Ivánovna Marmeládova, segunda esposa de Marmeládov, madrasta de Sônia.

Pólia, Kólia e Lida, filhos do primeiro casamento de Katerina Ivánovna.

Família Svidrigáilov
Arkádi Ivánovitch Svidrigáilov, senhor de terras.
Marfa Petróvna Svidrigáilova, esposa de Svidrigáilov.

Os funcionários da delegacia
Aleksandr Grigórevitch Zamiótov, escriturário
Iliá Petróvitch Porokh, oficial
Nikodim Fomítch, inspetor de polícia
Porfiri Petróvitch, juiz de instrução

Outras personagens
Dmitri Prokófievitch Razumíkhin (na verdade, Vrazumíkhin), estudante, amigo de Raskólnikov.
Aliona Ivánovna, velha usurária.
Lizaveta Ivánovna, meia-irmã de Aliona.
Zóssimov, jovem médico, amigo de Razumíkhin.
Piotr Petróvitch Lújin, noivo de Dúnia, parente distante de Marfa Petróvna.
Andrei Semiónovitch Lebeziátnikov, funcionário público, amigo de Lújin.
Praskóvia (Pacha) Pávlovna Zarnítsyna, senhoria de Raskólnikov.
Nastássia, cozinheira e empregada da senhora Zarnítsyna.
Amália Ivánovna Lippevechzel, senhoria da família Marmeládov.
Nikolai (Mikolka) e Dmitri (Mitka), pintores de parede.